Experiencing Chinese Basic Course II

体验 汉语
基础教程 下

Tiyan Hanyu Jichu Jiaocheng

总策划 刘 援
主 编 姜丽萍
编 者 魏新红 董 政 姜丽萍
译 者 高 晨

高等教育出版社·北京

《体验汉语®》立体化系列教材

教材规划委员会

| 许 琳 | 曹国兴 | 刘 辉 | 刘志鹏 |
| 马箭飞 | 宋永波 | 邱立国 | 刘 援 |

《体验汉语基础教程》（下）

总 策 划	刘 援
主　　编	姜丽萍
编　　者	魏新红 董 政 姜丽萍
译　　者	高 晨

策划编辑	祝大鸣 梁 宇
责任编辑	梁 宇
版式设计	刘 艳
插图绘制	吉祥物语
插图选配	陆 玲 梁 宇
封面设计	宿燕燕
责任校对	梁 宇 陆 玲
责任印制	刘思涵

前　　　言

近年来，随着我国社会经济的迅猛发展，综合国力和国际地位的不断提升，世界范围内学习汉语的人数迅速增加。按照我国教育部的统计，现在世界上学习汉语的人数已达到3000万以上。今年来华留学的人数也首次超过出国留学的人数，达到14万以上。为此，对各个层次、各种类型的汉语教材的需求也日益受到人们的关注和期待。我们在认真总结我国50多年来对外汉语教学经验，特别是对外汉语教材编写经验，结合自身多年从事对外汉语教学工作的经历和对不同层次来华留学人员调研的基础上，开发了这套适合于初学汉语的各类外国人员的《体验汉语基础教程》系列教材。

该套教材共分上下两册，每册包括24课，全套书共48课，每册在课程结束后编排了测验。主要供200课时的教学使用。本书后续教材包括练习册、教师参考书等。教材内容以功能为主，注重功能与结构相结合。每课由句子、词语、课文、注释、句型操练、词语扩展、听与说、读与写等构成。

本书遵循汉语国际推广的理念，注重教材的普及性、应用性和趣味性，强调体验式学习理念。具体来说，本教材是这样设计和编写的：

- 培养目标

　　教材以培养学生汉语听说读写基本技能和基本交际能力为目标。以学生将来走出教室便可活用的实用性内容为主。同时，注重培养学生学习汉语的兴趣和方法，使学生具有继续学习汉语的动机和愿望。

- 理论基础

　　本教材借鉴听说法教学的优点，注重在有意义的情境中操练句型，克服机械操练，使学生顺利掌握301个典型句子；在课文编写上，注意借鉴交际法的研究成果，注重功能和话题，让学生有话可说，能深入交流和扩展；在课堂操练上，注意借鉴任务型教学的研究成果，让学生带着真实的任务去练习，在做中学，在用中学，在体验中学。

- 词　语

　　本册涵盖生词约550个，每课生词都有一定量的控制。此外，每课还安排了"词语扩展"栏目，以体现教材的弹性特点。扩展词语均以图画的形式展现，注重词语的形象解释性。

- 课　文

　　课文内容以学生最熟悉和最需要的学校生活和相关社会生活为主，以帮助学生解决学习和生活中的实际问题。课文中的对话短小、精练、典型，便于学生朗读和背诵。课文语言风趣、幽默，尽量使学生在课文中体验学习汉语的乐趣。文化内容渗透在课文中，使学生在学习课文的过程中逐渐加深对中国文化习俗的了解。

- 注　释

　　本教材没有单设语法模块，而是把语法安排在课文注释中，主要目的是弱化语法讲解，避免为教语法而编课文。学汉语不是为了学好语法，但是学语法是为了更好地学好汉语。在语法项目的安排上，不求一次讲解完一个完整的语法项目，而是学什么解释什么，一个语法项目可能分别出现在几课中并且尽量以表格、公式的形式展现语法，让学生一看就懂，一学就会。注释中除了语法注释以外，还有习惯用法、文化现象、口语中的常用语等方面的注释。

- 汉　字

　　本教材的汉字采用"多认少写，认写分流，逐渐达到认写合流"的模式。开始学的词语不要求都会写，而是根据汉字的特点，从汉字的基本笔画和笔顺入手，逐步增加汉字的构字规律，目的是打下坚实的汉字基本功。汉字的书写由浅入深，由简单到复杂，逐渐向课文中的词语靠拢，最后跟课文中的词语一致。偏旁、部首的出现以在课文中构字能力的强弱为标准，构字能力强的先出，构字能力弱的，即使常用也可能不出。本册书到30课基本上达到了认写合流，31课以后的汉字，学生可以根据前面学过的汉字知识，自主学习，因此，不再出现汉字板块了。

- 活　动

　　活动部分注重其多样性和层次性，设计简单、明了。本教材注重听说读写全面提高，在练习中设计了以下几个小板块：注重理解和模仿的口语性练习的"趁热打铁"；注重交际和运用的表达性练习"听与说"；注重知识性和书面性练习的"读与写"。

- 版　式

　　本教材的版式设计淡雅简洁，图文并茂。针对第二语言学习的特点，采用了简易画、图片、照片等形式，使内容更加真实、生动。

　　我国对外汉语教学知名教授、北京语言大学鲁健骥先生在百忙之中审阅了全部书稿。高等教育出版社国际汉语出版中心的编辑们在本教材的策划、设计、编写等方面提供了许多富有建设性的建议，在此，谨表示诚挚的谢意。

　　愿本教材成为你步入汉语世界的向导，成为你了解中国的桥梁。

姜丽萍

2006年6月

Preface

With the remarkable development of China's society and economy and the rise of the country's international status, the number of people throughout the world learning Chinese has increased rapidly. According to the Ministry of Education, more than 30 million people worldwide study Chinese. China hosted more than 140 000 foreign students this year, which is the first time the number has exceeded that of Chinese studying abroad.

Having good textbooks is essential to learning any foreign language. That's why we have designed this series for elementary-level students, *Experiencing Chinese Elementary Course,* based on many teachers' experience of over 5 decades in the field of teaching Chinese as a foreign language.

This series of textbooks (used for 200 hours) has 48 lessons divided evenly into two volumes. Each volume includes 24 lessons and a test. Each lesson consists of "Sentences", "Words", "Text", "Notes", "Pattern Drills" "Vocabulary Extension", "Listening and Speaking" and "Reading and Writing". The set also includes teacher's books and workbooks.

The textbook focuses on function while at the same time giving significant attention to structure. Each lesson contains several parts, each focusing specifically on one aspect of language comprehension. These teaching materials are designed to be popular, practical and interesting. The books emphasize the experiencial learning method. Specifically speaking, the textbook is designed like this:

- Objective

The textbook's aim is to build up students' skills in listening, speaking, reading and writing. The text also focuses on developing students' basic communication competence, so they can put what they have learned immediately into practice outside the classroom. In addition, this textbook emphasizes motivating the students to continue their studies.

- Theories

We have drawn on the advantages of the audio-lingual method, paying special attention to pattern drills. This kind of drill is not a stuffy and meaningless displacement exercise; it is expressed in a specific environment, allowing students to grasp 301 typical Chinese sentence patterns. Based on the communicative approach, this text deals with functions and topics. This ensures that the students learn to carry on a conversation. Additionally, according to the research on task-based instruction, the textbook helps students learn by performing real tasks. Overall, this textbook emphasizes learning by doing, learning by using the language, and learning by experiencing the language.

- Vocabulary

There are approximately 550 new words in this book. Aside from lists of words, each lesson also has a "Vocabulary Extension" section, which offers teachers more flexibility. The section uses images to help students learn the words visually.

- Text

The texts relate to students' school and social life. After learning these texts, students should be able to carry on daily conversation with ease. The dialogues in the text are short, clear and represent everyday situations. The writing is light and humorous, making Chinese study as enjoyable as possible. The texts also contain cultural information; while they study the language, students are also learning about China's customs.

- Notes

Studying Chinese is not just about learning grammar. Instead, learning grammar is a way to improve the study of the language. Following this way of thinking, this textbook attempts to minimize grammar explanations by putting grammar into the notes and using tables and formulas. The text teaches grammar piece by piece, giving students only what they need to know for that lesson.

- Chinese Characters

In teaching Chinese characters, we follow the conception of recognizing more characters than writing, and teaching reading and writing separately. The text contains a writing section that teaches the basic strokes, stroke orders and character composition rules. The characters are taught according to their sides; the most frequently used sides appear earliest in the text. As the book progresses, the students learn to write more and more complex characters. Eventually, the characters in the writing section are the same as those in the text. In this series of textbooks, recognizing and writing become almost synchronous till L30. From L31, students can learn the characters by themselves, based on the knowledge of characters learned before. So, there is no more "Chinese Character" section after L30.

- Activities

This section is designed to be simple, clear and help students improve their listening, speaking, reading, and writing skills. The "Striking While the Iron Is Hot" exercises teach colloquial expressions and emphasize comprehension and imitation. The "Listening and Speaking" section also teaches colloquial expressions, but it focuses on communication and application. The "Reading and Writing" section focuses on literal expression and knowledge.

- Format

The format of the textbook is designed to be simple, elegant and concise. Targeting adult students, the textbook has made abundant use of pictures, drawings and photographs in order to better relate the content to the students.

Professors Mr. Lu Jianji, a renowned scholar in the TCSL circle, from Beijing Language and Culture University has reviewed and approved the book. Editors in TCFL publications of Higher Education Press have offered many constructive suggestions during the entire writing process. I am very appreciative of their help and hard work.

Jiang Liping
June 2006

目　录 Content

我对中国书法

Wǒ duì Zhōngguó shūfǎ

非常感兴趣

fēicháng gǎn xìngqù

句子 | Sentences

121	It's been a long time since I last saw you.	好久没见到你了。 Hǎojiǔ méi jiàn dào nǐ le.
122	What are you busy doing?	你在忙什么呢? Nǐ zài máng shénme ne?
123	I'm surfing the Internet.	我在上网呢。 Wǒ zài shàngwǎng ne.
124	You're kidding again.	你又开玩笑了。 Nǐ yòu kāiwánxiào le.
125	It's not hard if you like it. But if you don't, it's difficult.	喜欢就不难。不喜欢就难。 Xǐhuan jiù bù nán. Bù xǐhuan jiù nán.
126	I'm really interested in Chinese calligraphy.	我对中国书法非常感兴趣。 Wǒ duì Zhōngguó shūfǎ fēicháng gǎn xìngqù.
127	You practice your calligraphy, and I'll go to the playground to look for her.	你练书法吧,我去操场找她。 Nǐ liàn shūfǎ ba, wǒ qù cāochǎng zhǎo tā.

第一部分 | Part I

词语 | Words

1.	准备	zhǔnbèi	to get ready for		5.	楼下	lóu xià	downstairs
2.	又	yòu	again		6.	不见不散	bú jiàn bú sàn	don't leave until we see each other
3.	找	zhǎo	to look for					
4.	京剧	jīngjù	Peking opera					

专有名词 Proper Nouns

托福	tuōfú	TOEFL

1

课文一 | Text 1

(Scene: Mark is calling Zhang Hua.)

马克:	是张华吗?
Mǎkè:	Shì Zhāng Huá ma?
张华:	是,马克,你有什么事吗?
Zhāng Huá:	Shì, Mǎkè, nǐ yǒu shénme shì ma?
马克:	好久没见到你了。你在忙什么呢?
Mǎkè:	Hǎojiǔ méi jiàn dào nǐ le. Nǐ zài máng shénme ne?
张华:	我最近正在准备托福考试呢。
Zhāng Huá:	Wǒ zuìjìn zhèngzài zhǔnbèi tuōfú kǎoshì ne.
马克:	你现在在做什么呢?
Mǎkè:	Nǐ xiànzài zài zuò shénme ne?
张华:	我在上网呢。你呢?
Zhāng Huá:	Wǒ zài shàngwǎng ne. Nǐ ne?
马克:	我在给你打电话呢。
Mǎkè:	Wǒ zài gěi nǐ dǎ diànhuà ne.
张华:	你又开玩笑了。
Zhāng Huá:	Nǐ yòu kāiwánxiào le.
马克:	对不起。我在跟安德鲁聊天呢。
Mǎkè:	Duìbuqǐ. Wǒ zài gēn Āndélǔ liáotiān ne.
张华:	你找我有事吗?
Zhāng Huá:	Nǐ zhǎo wǒ yǒu shì ma?
马克:	我们想去看京剧,你能跟我们一起去吗?
Mǎkè:	Wǒmen xiǎng qù kàn jīngjù, nǐ néng gēn wǒmen yìqǐ qù ma?
张华:	好啊。什么时候去?
Zhāng Huá:	Hǎo a. Shénme shíhou qù?
马克:	半个小时以后我们在楼下等你。
Mǎkè:	Bàn ge xiǎoshí yǐhòu wǒmen zài lóu xià děng nǐ.
张华:	好,不见不散。
Zhāng Huá:	Hǎo, bú jiàn bú sàn.

2

注 释 | Notes

1. 动作的进行　**The progression of an action**

When a verb is preceded by the adverb "正在", "在"or "正" or the particle "呢" is used at the end of a sentence, it indicates an action in progress.

① "正在", "在", and "在"can be used with "呢"together.

Subject (S)	Predicate (P)		
	正在/在/正	**V+O**	(呢)
你	正在	做什么	(呢)?
你	在	忙什么	(呢)?
我	在	准备托福考试	(呢)。
我		上网	呢。

② The negative form is "没（有）".

Subject (S)	Predicate (P)		
	正在/在/正	**V+O**	呢
你	在	做作业	呢吗?
我	没	做作业。	

2. 副词"又"和"再"　**Adverbs "又" and "再"**

Adverbs "又" and "再"both can be used as circumstantial modifiers in front of verbs, indicating the repetition of actions or situations.

The adverb "又" is used to indicate the repetition that already happened. The adverb "再" is used to indicate the repetition which has not happened yet or will happen in the future. E.g.

（1）他又开玩笑了。（他以前常常开玩笑。）

（2）他又来了。（他以前来过。）

我昨天去他宿舍了，今天又去了。　⟷　我昨天去他宿舍了，明天还想再去。

他上个星期没有上课，这个星期又没有上课。　⟷　他想再买一本词典。

句型操练 | Pattern Drills

1. 你在忙什么呢？

    ……在……什么呢？

做   看   想

2. 我在上网呢。

    我在……呢。

听音乐   练书法   吃饭

3. 你又开玩笑了。

    你又……了。

吃面条   去书店   迟到

趁热打铁 Strike While the Iron Is Hot

1. 是……吗？

3. 好久没见到你了。你最近忙什么呢？

5. 你现在在做什么呢？

7. 我在……呢。

9. 我想……，你能跟我一起去吗？

11. ……。

2. 是，……，有什么事吗？

4. 我最近……。

6. 我在……呢。你呢？

8. 你找我有事吗？

10. 好啊。什么时候去？

12. 好，不见不散！

第二部分 | Part II

词语 | Words

1.	练	liàn	to practice, to exercise	3.	写	xiě	to write
				4.	不错	búcuò	not bad, quite good
2.	书法	shūfǎ	calligraphy	5.	多	duō	many, more

4

6.	对	duì	to, towards		9.	操场	cāochǎng	playground
7.	感兴趣	gǎn xìngqù	to be interest-		10.	跑步	pǎobù	to run, to jog
	/兴趣	/xìngqù	ed in/interest		11.	回来	huílái	to come back
8.	帮助	bāngzhù	help					

课文二 | Text 2

(Scene: Zhang Hua is visiting Karen.)

惠 美:　是 张 华 吧，请 进 来。
Huìměi:　Shì Zhāng Huá ba, qǐng jìnlái.

张 华:　你 在 做 作业 吗？
Zhāng Huá:　Nǐ zài zuò zuòyè ma?

惠 美:　我 做 完 作业 了，正在 练 书 法 呢。
Huìměi:　Wǒ zuò wán zuòyè le, zhèngzài liàn shūfǎ ne.

张 华:　我 看看，你 写 得 真 不错，练 了 多 长 时间 了？
Zhāng Huá:　Wǒ kànkan, nǐ xiě de zhēn búcuò, liàn le duō cháng shíjiān le?

惠 美:　刚 开 始 练。我 正 跟 一 个 中国 老师 学 呢。
Huìměi:　Gāng kāishǐ liàn. Wǒ zhèng gēn yí ge Zhōngguó lǎoshī xué ne.

张 华:　练 书 法 难 不 难？
Zhāng Huá:　Liàn shūfǎ nán bu nán?

惠 美:　喜 欢 就 不 难。不 喜 欢 就 难。
Huìměi:　Xǐhuan jiù bù nán. Bù xǐhuan jiù nán.

张 华:　你 喜 欢 吗？
Zhāng Huá:　Nǐ xǐhuan ma?

惠 美:　我 对 中国 书 法 非常 感 兴趣，每 天 都 练。
Huìměi:　Wǒ duì Zhōngguó shūfǎ fēicháng gǎn xìngqù, měitiān dōu liàn.

张 华:　练 书 法 对 学 习 汉语 也 很 有 帮 助。卡 伦 呢？
Zhāng Huá:　Liàn shūfǎ duì xuéxí Hànyǔ yě hěn yǒu bāngzhù. Kǎlún ne?

惠 美:　她 出 去 了。可 能 正在 操场 跑步 呢。一 会 儿
Huìměi:　Tā chūqù le. Kěnéng zhèngzài cāochǎng pǎobù ne. Yíhuìr
　　　　就 回 来。
　　　　jiù huílái.

张 华:　你 练 书 法 吧，我 去 操场 找 她。
Zhāng Huá:　Nǐ liàn shūfǎ ba, wǒ qù cāochǎng zhǎo tā.

5

注 释 | Notes

"对……（不）感兴趣" **Have (no) interest in …**

The preposition "对" plus an object（对+O）is used as the circumstantial modifier of "感兴趣" in the sentence, which indicates the object of the action.

Subject (S)	Predicate (P)		
	对	O	V+(O)【感兴趣】
她	对	中国书法	特别感兴趣。
我爸爸	对	汉语	很感兴趣。
他	对	京剧	不感兴趣。

Note: Sometimes you can also say "对……有（没有）兴趣".

句型操练 | Pattern Drills

1. 我对中国书法非常感兴趣。
   我对……非常感兴趣。

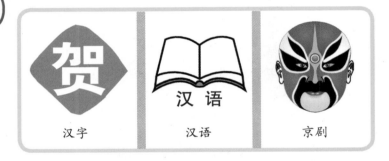

汉字　　汉语　　京剧

2. 你练书法吧，我去操场找她。
   你……吧，我去……。

睡觉/教室上课　　做作业/卧室听录音　　吃饭/图书馆学习

趁热打铁 Strike While the Iron Is Hot

1. ……呢？
3. 你在……吗？
5. 你……吧，我去……。

2. 她出去了。可能正在……呢。
4. 我……完……了，正在……呢。
6. 好的，再见！

词语扩展 | Vocabulary Extension

中国文化

中国电影
Zhōngguó diànyǐng

武术
wǔshù

太极拳
tàijíquán

听与说 | Listening and Speaking

一 看图回答问题 Look and Answer

他们对什么感兴趣？

7

二 双人练习 Pair Work

安 德 鲁	卡 伦
是 ＿＿＿＿＿＿＿＿＿＿ 吗？	是＿＿＿＿＿＿＿＿＿，有什么事吗？
好久没见到你了。＿＿＿＿＿＿？	我最近正在准备HSK考试呢。
＿＿＿＿＿＿？	我现在正在复习呢。＿＿＿＿＿＿？
我在跟马克聊天呢。	你找我有事吗？
我们想去看武术表演，＿＿＿＿？	好啊。＿＿＿＿＿？
一刻钟以后我们在友谊宾馆门口等你。	好，＿＿＿＿＿＿！

张华的妈妈	马 克
是马克吧，请进来。	请问，张华＿＿＿＿＿＿＿？
她不在，她出去了，一会儿就回来。	＿＿＿＿＿？
我在做饭呢。	＿＿＿＿＿？
不难，以后有时间来我家，我教你吧。	好。您做饭吧。我找张华有事，我去楼下等她。

①
②

三 根据实际情况回答问题 Answer the Questions According to Actual Situations

1. 你对中国书法感兴趣吗？
2. 你对京剧感兴趣吗？
3. 你对什么感兴趣？

汉 字 | Characters

1. 汉字偏旁 Sides of Chinese Characters（22）

力	lì zì pāng	助	田	tián zì pāng	备

2. 汉字组合 Composition of Chinese Characters（22）

力字旁 lì zì pāng	力 ＋ 八	办
	且 ＋ 力	助
	云 ＋ 力	动
	田 ＋ 力	男
	奴 ＋ 力	努
田字旁 tián zì pāng	田 ＋ 力	男
	夂 ＋ 田	备
	田 ＋ 心	思
	田 ＋ 介	界
	田 ＋ 糸	累

读与写 | Reading and Writing

一 把括号中的词填入适当的位置 Put the Words into the Appropriate Places

1. 我 A 京剧特别 B 感 C 兴趣。 （对）
2. 他 A 跟一个朋友聊 B 天 C 呢。 （正）
3. 他 A 正在 B 操场 C 跑步呢。 （可能）

二 选词填空 Fill in the Blanks

1. 我 _____ 托福考试不感兴趣。 （对，给，替）

2. 现在他在图书馆学习_____。　　　（呢，吧，吗）

3. 我怎么 _____ 想吃饭了？　　　（再，又）

三　填写并完成对话 Fill in the Blanks and Complete the Conversation

A：你好。

B：你好。好久没见到你了，_____?　　　（忙）

A：我最近正在准备托福考试呢。

　　你现在_____?　　　（在……呢）

B：我现在正在上网呢。_____?　　　（呢）

A：我在跟朋友聊天呢。我们想去看京剧，你跟我们一起去吧。

B：好吧。_____?　　　（什么时候）

A：半个小时以后我们在楼下等你。

B：_____。

四　朗读短文 Read Aloud

　　现在我刚开始练书法，每天都练一个小时。我正跟一个中国老师学呢。练书法不难，我对中国书法非常感兴趣。我觉得练书法对学习汉语也很有帮助。

Xiànzài wǒ gāng kāishǐ liàn shūfǎ, měitiān dōu liàn yí ge xiǎoshí. Wǒ zhèng gēn yí ge Zhōngguó lǎoshī xué ne. Liàn shūfǎ bù nán, wǒ duì Zhōngguó shūfǎ fēicháng gǎn xìngqù. Wǒ juéde liàn shūfǎ duì xuéxí Hànyǔ yě hěn yǒu bāngzhù.

五　汉字练习 Chinese Characters

汉字	笔　顺
助	助 助 助 助 助 助 助
办	办 办 办 办
备	备 备 备 备 备 备 备 备
界	界 界 界 界 界 界 界 界 界

9

你喜欢什么运动

Nǐ   xǐhuan   shénme   yùndòng

句子 | Sentences

128	**What sports do you like?**	你喜欢什么运动？ Nǐ xǐhuan shénme yùndòng?
129	**Besides jogging, I also like swimming, ball games and the like.**	除了跑步以外，我还喜欢游泳、打 Chúle pǎobù yǐwài, wǒ hái xǐhuan yóuyǒng, 球什么的。 dǎ qiú shénmede.
130	**With the exception of jogging, I like all other sports.**	除了跑步以外，别的运动我都喜欢。 Chúle pǎobù yǐwài, biéde yùndòng wǒ dōu xǐhuan.
131	**(Let's) run for an hour every afternoon.**	每天下午跑一个小时步。 Měitiān xiàwǔ pǎo yí ge xiǎoshí bù.
132	**What are your hobbies?**	你有什么爱好？ Nǐ yǒu shénme àihào?
133	**My hobby is listening to pop music.**	我的爱好是听流行歌曲。 Wǒ de àihào shì tīng liúxíng gēqǔ.
134	**I like many sports, such as basketball, tennis, table tennis, football and the like.**	我喜欢的运动可多了，像篮球、网球 Wǒ xǐhuan de yùndòng kě duō le, xiàng lánqiú, 乒乓球、足球什么的，我都喜欢。 wǎngqiú, pīngpāngqiú, zúqiú shénmede, wǒ dōu xǐhuan.

第一部分 | Part I

词语 | Words

1.	运动	yùndòng	sport	4.	什么的	shénmede	and so on
2.	除了…以外	chúle … yǐwài	besides, except	5.	有意思	yǒu yìsi	interesting
3.	打球	dǎ qiú	to play ball games	6.	坚持	jiānchí	to persist in

10

7.	锻炼	duànliàn	to take exercises	10.	减肥	jiǎnféi	to lose weight
8.	身体	shēntǐ	(human) body, health	11.	那	nà	then
9.	咱们	zánmen	we, us				

课文一 | Text 1

(Scene: Zhang Hua and Karen are sitting on the playground chatting.)

张 华：　卡伦，你喜欢什么运动？
Zhāng Huá:　Kǎlún, nǐ xǐhuan shénme yùndòng?

卡 伦：　我喜欢跑步。除了跑步以外，我还喜欢游泳、
Kǎlún:　Wǒ xǐhuan pǎobù. Chúle pǎobù yǐwài, wǒ hái xǐhuan yóuyǒng,
　　　　打球什么的。你呢？
　　　　dǎ qiú shénmede. Nǐ ne?

张 华：　我跟你不一样。除了跑步以外，别的运动
Zhāng Huá:　Wǒ gēn nǐ bù yíyàng. Chúle pǎobù yǐwài, bié de yùndòng
　　　　我都喜欢。
　　　　wǒ dōu xǐhuan.

卡 伦：　你为什么不喜欢跑步？
Kǎlún:　Nǐ wèishénme bù xǐhuan pǎobù?

张 华：　我觉得一个人跑步没有意思，很难坚持。
Zhāng Huá:　Wǒ juéde yí ge rén pǎobù méiyǒu yìsi, hěn nán jiānchí.

卡 伦：　跑步是最好的运动。可以锻炼身体，还可
Kǎlún:　Pǎobù shì zuìhǎo de yùndòng. Kěyǐ duànliàn shēntǐ, hái kěyǐ
　　　　以减肥。
　　　　jiǎnféi.

张 华：　我也想减肥。
Zhāng Huá:　Wǒ yě xiǎng jiǎnféi.

卡 伦：　那你跟我一起锻炼吧。
Kǎlún:　Nà nǐ gēn wǒ yìqǐ duànliàn ba.

张 华：　好啊。咱们怎么练？
Zhāng Huá:　Hǎo a. Zánmen zěnme liàn?

卡 伦：　每天下午跑一个小时步，怎么样？
Kǎlún:　Měitiān xiàwǔ pǎo yí ge xiǎoshí bù, zěnmeyàng?

张 华：　什么？一个小时？还每天？
Zhāng Huá:　Shénme? Yí ge xiǎoshí? Hái měitiān?

卡 伦：　你不是要减肥吗？
Kǎlún:　Nǐ bú shì yào jiǎnféi ma?

11

注 释 | Notes

除了……以外，都/还…… **Besides, except**

"除了……以外，都……" is used to exclude the particular case, and emphasize the general situation. E.g.

（1）除了跑步以外，别的运动我都喜欢。

（2）除了马克以外，别的同学都来了。

（3）除了他以外，别的学生我都不认识。

"除了……以外，还……" means "in addition to" .E.g.

（1）除了跑步以外，我还喜欢游泳、打球什么的。

（2）除了牛奶以外，我还想买可乐。

（3）除了口语课以外，我们还有语法课、听力课、阅读课。

句型操练 | Pattern Drills

1. 除了跑步以外，我还喜欢游泳、打球什么的。

除了……以外，我还喜欢……、……什么的。

| 牛奶/可乐/咖啡 | 书法/京剧/太极拳 | 学汉语/学英语/日语 |

2. 除了跑步以外，别的运动我都喜欢。

除了……以外，别的……我都喜欢。

| 鱼香肉丝/菜 | 写汉字/练习 | 日语/外语 |

3. 你不是要减肥吗？

   你不是要……吗？

学汉语

写书法

多运动

趁热打铁　Strike While the Iron Is Hot

1. 你喜欢什么运动？

3. 我跟你不一样。除了……以外，别的运动我都喜欢。

5. 因为……。

2. 我喜欢……。除了……以外，我还喜欢……什么的。你呢？

4. 你为什么不喜欢……？

13

第二部分 | Part II

词 语 | Words

1.	爱好	àihào	hobby	7.	网球	wǎngqiú	tennis
2.	流行	liúxíng	popular	8.	乒乓球	pīngpāngqiú	table tennis
3.	歌曲	gēqǔ	song	9.	足球	zúqiú	football, soccer
4.	可	kě	(particle used for emphasis)	10.	打	dǎ	to play (ball games)
				11.	……迷	…mí	fan
5.	像	xiàng	like, such as	12.	更	gèng	even more
6.	篮球	lánqiú	basketball				

专有名词 Proper Nouns

1.	德国	Déguó	Germany	2.	世界杯	shìjièbēi	World Cup

课文二 | Text 2

(Scene: Andrew is coming to see Mark.)

安德鲁： 马克，你有什么爱好？
Āndélǔ: Mǎkè, nǐ yǒu shénme àihào?

马克： 我的爱好是听流行歌曲。你呢？
Mǎkè: Wǒ de àihào shì tīng liúxíng gēqǔ. Nǐ ne?

安德鲁： 我喜欢运动。
Āndélǔ: Wǒ xǐhuan yùndòng.

马克： 你喜欢什么运动？
Mǎkè: Nǐ xǐhuan shénme yùndòng?

安德鲁： 我喜欢的运动可多了。像篮球、网球、乒乓球、
Āndélǔ: Wǒ xǐhuan de yùndòng kě duō le. Xiàng lánqiú, wǎngqiú, pīngpāngqiú,

足球什么的，我都喜欢。
zúqiú shénmede, wǒ dōu xǐhuan.

马克： 你最喜欢什么运动？
Mǎkè: Nǐ zuì xǐhuan shénme yùndòng?

安德鲁： 我最喜欢打网球。每星期一三五下午都打
Āndélǔ: Wǒ zuì xǐhuan dǎ wǎngqiú. Měi xīngqīyī sān wǔ xiàwǔ dōu dǎ

两个小时。
liǎng ge xiǎoshí.

马克： 你真是一个网球迷。
Mǎkè: Nǐ zhēn shì yí ge wǎngqiú mí.

安德鲁： 你喜欢打网球吗？
Āndélǔ: Nǐ xǐhuan dǎ wǎngqiú ma?

马克： 我不喜欢打，只喜欢看。我更喜欢看足球比
Mǎkè: Wǒ bù xǐhuan dǎ, zhǐ xǐhuan kàn. Wǒ gèng xǐhuan kàn zúqiú bǐ

赛。
sài.

安德鲁： 下个月在德国有世界杯足球比赛。
Āndélǔ: Xià ge yuè zài Déguó yǒu Shìjièbēi Zúqiú Bǐsài.

马克： 是啊，离比赛开始只有一个月了。我太高兴了。
Mǎkè: Shì a, lí bǐsài kāishǐ zhǐyǒu yí ge yuè le. Wǒ tài gāoxìng le.

注释 | Notes

1. 像……什么的　**Such as ... and so on**

　　"像……什么的" is used after listing one or several collateral elements indicating that the listing is not complete. "什么的" means "and so on". E.g.

（1）我喜欢的运动可多了，像篮球、网球、乒乓球、足球什么的，我都喜欢。

（2）我的爱好有很多，像运动、京剧、书法什么的。

（3）我喜欢的课可多了，像口语、阅读、听力什么的。

2. 副词"可"、"更"　**Adverbs "可" and "更"**

　　The adverb "可" is used in front of verbs or adjectives to give emphasis. E.g.

（1）我喜欢的运动可多了。

（2）他可喜欢开玩笑了。

　　The adverb "更" indicates the increased degree, which is used in comparison. E.g.

（1）我喜欢网球，更喜欢足球。

（2）马克很高，安德鲁更高。

（3）我更喜欢做中国菜了。

3. 介词"离"　**Preposition "离"**

　　Besides distance, the preposition "离" indicates time. E.g.

（1）离比赛开始只有一个月了。

（2）离考试还有两个多月了。

（3）离下课还有十分钟。

句型操练 | Pattern Drills

1. 我的爱好是听流行歌曲。

　　我的爱好是……。

看电影　　　　看京剧　　　　跑步

2. 我喜欢的运动可多了。

　　……可多了。

他看的电影　　　我喜欢的音乐　　　他看的英文书

3. 像篮球、网球、乒乓球、足球什么的，我都喜欢。

   像……什么的，我都喜欢。

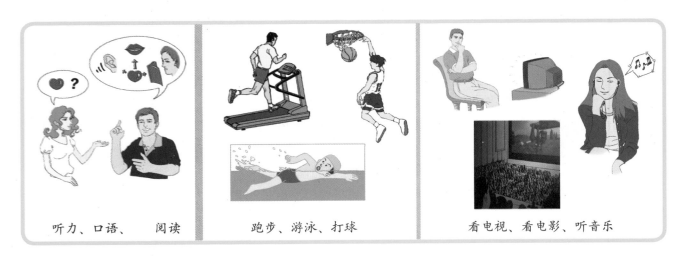

听力、口语、 阅读   跑步、游泳、打球   看电视、看电影、听音乐

趁热打铁 Strike While the Iron Is Hot

1. 你有什么爱好？

3. 我喜欢运动。

5. 我喜欢的运动可多了，
   像……什么的，我都喜欢。

7. 我最喜欢……。

2. 我的爱好是……。你呢？

4. ……？

6. ……？

8. 你真是一个……迷！

词语扩展 | Vocabulary Extension

运 动

打排球
dǎ páiqiú

踢足球
tī zúqiú

打高尔夫球
dǎ gāo'ěrfūqiú

打羽毛球
dǎ yǔmáoqiú

听与说 | Listening and Speaking

一 看图回答问题 Look and Answer

他们在做什么运动？

二 双人练习 Pair Work

A	B
	我喜欢游泳。
	除了游泳以外，我还喜欢打高尔夫球。你呢？
我跟你不一样。除了游泳以外，别的运动我都喜欢。	
因为我觉得游泳容易感冒。	游泳可以_____，还可以_____。
我也想减肥。	那你跟我一起去游泳吧。

A	B
	我的爱好是_____。你呢？
我喜欢运动。	
我喜欢的运动可多了。像_____什么的。	
我最喜欢打羽毛球。每周一三五下午打两个小时。	你真是_____！
你喜欢打羽毛球吗？	我不喜欢打，只_____。我更喜欢看乒乓球比赛。

三 根据实际情况回答问题 Answer the Questions According to Actual Situations

1. 你最喜欢什么运动？
2. 你有什么爱好？
3. 你喜欢听流行歌曲吗？

汉字 | Characters

1. 汉字偏旁 Sides of Chinese Characters （23）

亠	diǎn héng tóu	离	钅	jīn zì pāng	锻

2. 汉字组合 Composition of Chinese Characters （23）

点横头 diǎn héng tóu	亠 ＋ 禸	离
	亠 ＋ 父	交
	亠 ＋ 八	六
	亠 ＋ 方	旁
	亠 ＋ 小	京
金字旁 jīn zì pāng	钅 ＋ 段	锻
	钅 ＋ 昔	错
	钅 ＋ 戋	钱
	钅 ＋ 凸	铅

读与写 | Reading and Writing

一 把括号中的词填入适当的位置 Put the Words into the Appropriate Places

1. 我喜欢打 A 球，像 B 篮球、网球、乒乓球 C。 （什么的）
2. 我的 A 爱好 B 多 C 了。 （可）
3. 他的考试成绩 A 比我 B 高 C。 （更）

二 选词填空 Fill in the Blanks

1. _____世界杯开始只有二十多天了。 （从，离，到）
2. 除了电话卡以外，邮局_____卖信封和邮票。 （还，都）
3. 除了篮球以外，别的运动我_____喜欢。 （还，都）

18

三 填写并完成对话 Fill in the Blanks and Complete the Conversation

A：＿＿＿＿＿＿＿＿＿＿＿＿＿？　　　　（什么）

B：我喜欢跑步。＿＿＿＿＿＿＿＿＿。　　（除了……以外）

A：我跟你不一样。＿＿＿＿＿＿＿＿。　　（除了……以外）

B：你为什么不喜欢跑步？

A：＿＿＿＿＿＿＿＿＿＿＿＿＿。　　　　（觉得）

B：我觉得跑步是最好的运动。可以锻炼身体，还可以减肥。

四 朗读短文 Read Aloud

　　马克的爱好是听流行歌曲。我跟他不一样，我喜欢运动。我喜欢的运动可多了。像篮球、网球、乒乓球、足球什么的，我都喜欢。我最喜欢打网球。每星期一三五下午都打两个小时。我是一个网球迷。马克不喜欢打网球，只喜欢看。他更喜欢看足球比赛。离德国世界杯足球比赛开始只有一个月了，马克很高兴。

　　Mǎkè de àihào shì tīng liúxíng gēqǔ. Wǒ gēn tā bù yíyàng, wǒ xǐhuan yùndòng. Wǒ xǐhuan de yùndòng kě duō le. Xiàng lánqiú, wǎngqiú, pīngpāngqiú, zúqiú shénmede, wǒ dōu xǐhuan. Wǒ zuì xǐhuan dǎ wǎngqiú. Měi xīngqīyī sān wǔ xiàwǔ dōu dǎ liǎng ge xiǎoshí. Wǒ shì yí ge wǎngqiú mí. Mǎkè bù xǐhuan dǎ wǎngqiú, zhǐ xǐhuan kàn. Tā gèng xǐhuan kàn zúqiú bǐsài. Lí Déguó Shìjièbēi Zúqiú Bǐsài kāishǐ zhǐyǒu yí ge yuè le, Mǎkè hěn gāoxìng.

五 汉字练习 Chinese Characters

汉字	笔　顺
锻	锻 锻 锻 锻 锻 锻 锻 锻 锻 锻 锻 锻 锻
错	错 错 错 错 错 错 错 错 错 错 错 错
离	离 离 离 离 离 离 离 离 离 离
交	交 交 交 交 交 交

你看过这部电影吗

Nǐ kàn guò zhè bù diānyǐng ma

句子 | Sentences

135	Do you have time this weekend?	这个周末你有空儿吗? Zhège zhōumò nǐ yǒu kōngr ma?
136	Have you seen this movie?	你看过这部电影吗? Nǐ kàn guò zhè bù diānyǐng ma?
137	I saw it once in America, but I still want to see it again.	我在美国看过一遍,可我还想再 Wǒ zài Měiguó kàn guò yí biàn, kě wǒ hái xiǎng zài 看一遍。 kàn yí biàn.
138	Although my Chinese is not very good, I want to have a try.	虽然我的中文不太好,但是我想试试。 Suīrán wǒ de Zhōngwén bú tài hǎo, dànshì wǒ xiǎng shìshi.
139	Have you ever visited any muse-ums in Beijing?	你以前参观过北京的博物馆吗? Nǐ yǐqián cānguān guò Běijīng de bówùguǎn ma?
140	If I have time, I would like to visit the National Museum of Chinese History.	要是有时间的话,我想去中国历史博物馆 Yàoshi yǒu shíjiān de huà, wǒ xiǎng qù Zhōngguó Lìshǐ 参观参观。 Bówùguǎn cānguān cānguān.
141	I've been to the National Museum of Chinese History once.	中国历史博物馆我去过一次。 Zhōngguó Lìshǐ Bówùguǎn wǒ qù guò yí cì.

第一部分 | Part I

词语 | Words

1.	周末	zhōumò	weekend	2.	空儿	kōngr	spare time, free time

3.	电影院	diànyǐngyuàn	cinema	9.	遍	biàn	time (adverbal measure word)
4.	上映	shàngyìng	to show (a movie)				
5.	部	bù	(measure word for movies)	10.	但是	dànshì	but
				11.	字幕	zìmù	subtitle
6.	有名	yǒumíng	famous, well-known	12.	当	dāng	to be, to act as
				13.	翻译	fānyì	translator, interpreter
7.	电影	diànyǐng	movie	14.	虽然	suīrán	although
8.	过	guò	(particle indicating a past action)				

课文一 | Text 1

(Scene: Zhang Hua and Mark are chatting in their room.)

马克： 张华，这个周末你有空儿吗？
Mǎkè： Zhāng Huá, zhège zhōumò nǐ yǒu kòngr ma?

张华： 怎么？还去看京剧吗？
Zhāng Huá： Zěnme? Hái qù kàn jīngjù ma?

马克： 不是，电影院要上映一部有名的美国
Mǎkè： Bú shì, diànyǐngyuàn yào shàngyìng yí bù yǒumíng de Měiguó
电影，非常好。
diànyǐng, fēicháng hǎo.

张华： 你看过这部电影吗？
Zhāng Huá： Nǐ kàn guò zhè bù diànyǐng ma?

马克： 我在美国看过一遍，可我还想再看一遍。
Mǎkè： Wǒ zài Měiguó kàn guò yí biàn, kě wǒ hái xiǎng zài kàn yí biàn.

张华： 是中文的还是英文的？
Zhāng Huá： Shì Zhōngwén de háishi yīng wén de?

马克： 英文的，但是有中文字幕。
Mǎkè： Yīng wén de, dànshì yǒu Zhōngwén zìmù.

张华： 我能听懂吗？
Zhāng Huá： Wǒ néng tīng dǒng ma?

马克： 没问题。我可以给你当翻译。
Mǎkè： Méi wèntí. Wǒ kěyǐ gěi nǐ dāng fānyì.

张华： 当中文翻译？
Zhāng Huá： Dāng Zhōngwén fānyì?

21

马克：　　对呀。虽然我的中文不太好，但是我想试试。
Mǎkè:　　Duì ya. Suīrán wǒ de Zhōngwén bú tài hǎo, dànshì wǒ xiǎng shìshi.

张华：　　我还是一边听英文一边看字幕吧。
Zhāng Huá:　Wǒ háishi yìbiān tīng yīng wén yìbiān kàn zìmù ba.

注释 | Notes

1. 动词+过　　Verb +过

① The verb is followed by the particle "过" to express that the action or situation has happened in the past. It emphasizes a certain experience in the past.

Subject(S)	Predicate (P)		
	V	过	**O**
你	看	过	这部电影吗？
我	看	过	这部电影。
我们	去	过	王府井。

② The negative form is:

Subject(S)	Predicate (P)		
	没(有)+V	过	**O**
我	没(有)看	过	这部电影。
我们	没(有)去	过	王府井。
我	没吃	过	汉堡包。

③ The affirmative-negative question form is:

Subject(S)	Predicate (P)		
	V	过	**O**+没有
你	看	过	这部电影没有？
你	吃	过	汉堡包没有？
你们	去	过	王府井没有？

2. 虽然……但是……　　Although … (but) …

"虽然……但是……" joins two clauses and expresses a turn in speech. E.g.

（1）虽然我的中文不太好，但是我想试试。

（2）虽然我很努力，但是成绩不太好。

（3）虽然学习汉语的时间不长，但是他学得很好。

22

句型操练 | Pattern Drills

1. 你**看**过这部电影吗？
你……过……吗？

看/京剧

吃/鱼香肉丝

去/天安门

2. 我在**美国**看过一遍，可我还想再看一遍。
我在……看过一遍，可我还想再看一遍。

电影院

教室

宿舍

3. 虽然**我的中文不太好**，但是**我想试试**。
虽然……，但是……。

他喜欢学汉语
不能坚持

我出发很早
很晚才到

我的汉字不太好
我想试试

趁热打铁 *Strike While the Iron Is Hot*

1. 这个周末你有空儿吗？
3. 电影院要上映一部有名的……电影。
5. 我在……看过一遍，可我还想再看一遍。
7. ……，但是有中文字幕。
9. 没问题，……。
11. 对呀，虽然我的中文不太好，但是我想试试。

2. 有空儿，有什么事吗？
4. 你看过这部电影吗？
6. 是中文的还是……？
8. 我能听懂吗？
10. 当中文翻译？
12. 我还是……吧。

23

第二部分 | Part II

词 语 | Words

1.	以前	yǐqián	before, previously	5.	首都	shǒudū	capital (city)
2.	参观	cānguān	to visit	6.	军事	jūnshì	military
				7.	历史	lìshǐ	history
3.	次	cì	time (verbal measure word)	8.	广场	guǎngchǎng	square
				9.	要是…(的话)	yàoshì…(de huà)	if
4.	博物馆	bówùguǎn	museum	10.	了解	liǎojiě	to understand

专有名词   Proper Nouns

天安门 Tiān'ān Mén   Tian'anmen

课文二 | Text 2

24

(Scene: Karen and Andrew are visiting the Capital Museum.)

卡伦:　你以前参观过北京的博物馆吗?
Kǎlún:　Nǐ yǐqián cānguān guò Běijīng de bówùguǎn ma?

安德鲁:　没有, 这是第一次。
Āndélǔ:　Méiyǒu, zhè shì dì yī cì.

卡伦:　北京的博物馆有很多, 像首都博物馆、军事
Kǎlún:　Běijīng de bówùguǎn yǒu hěn duō, xiàng Shǒudū Bówùguǎn, Jūnshì
博物馆、历史博物馆什么的。
Bówùguǎn, Lìshǐ Bówùguǎn shénmede.

安德鲁:　我对中国历史特别感兴趣。中国历史博物
Āndélǔ:　Wǒ duì Zhōngguó lìshǐ tèbié gǎn xìngqù, Zhōngguó Lìshǐ Bówù
馆在哪儿?
guǎn zài nǎr?

卡伦:　就在天安门广场东边。
Kǎlún:　Jiù zài Tiān'ānmén guǎngchǎng dōngbian.

安德鲁:　要是有时间的话, 我想去中国历史博物
Āndélǔ:　Yàoshi yǒu shíjiān de huà, wǒ xiǎng qù Zhōngguó Lìshǐ Bówùguǎn

馆 参 观 参 观。
　　guǎn cānguān cānguān.

卡 伦： 中 国 历 史 博 物 馆 我 去 过 一 次。
Kǎlún: Zhōngguó Lìshǐ Bówùguǎn wǒ qù guò yí cì.

安 德 鲁： 你 觉 得 怎 么 样?
Āndélǔ: Nǐ juéde zěnmeyàng?

卡 伦： 参 观 完 以 后 我 了 解 了 中 国 从 1840 年 到
Kǎlún: Cānguān wán yǐhòu wǒ liǎojiě le Zhōngguó cóng yībāsìlíng nián

1949 年 的 历 史。
dào yījiǔsìjiǔ nián de lìshǐ.

安 德 鲁： 还 想 再 去 吗?
Āndélǔ: Hái xiǎng zài qù ma?

卡 伦： 你 要 是 去 的 话， 我 可 以 陪 你。
Kǎlún: Nǐ yàoshi qù de huà, wǒ kěyǐ péi nǐ.

安 德 鲁： 太 好 了。
Āndélǔ: Tài hǎo le.

注 释 | Notes

25

1. 动量词"遍"和"次" **Verbal measure words "遍" and "次"**

The verbal measure words "遍" and "次" are used after verbs as complements of frequency, indicating the number of times an action occurs.

① "遍" emphasizes the whole process from the beginning to the end.

Subject(S)	Predicate (P)			
	V	过	numeral＋次	O
我	看	过	一遍	这部电影。
我	听	过	两遍	课文录音。

② "次" denotes the times of repetition of an action.

Subject(S)	Predicate (P)			
	V	过	numeral＋次	O
我们	喝	过	三次	中国啤酒。
我	吃	过	一次	鱼香肉丝。

③ When the structure is "verb+locative object", the object could be used before or after "次".

Subject(S)	Predicate (P)			
	V	**过**	**numeral＋次**	**O**
我们	去	过	三次	王府井。
他	来	过	两次	中国。

Or:

Subject(S)	Predicate (P)			
	V	**过**	**O**	**numeral＋次**
我们	去	过	王府井	三次。
他	去	过	中国	两次。

④ When it is a personal pronoun the object must be put in front of "次".

Subject(S)	Predicate (P)			
	V	**过**	**O**	**numeral＋次**
我们	找	过	他	一次。
他	看	过	我	两次。

2. 要是……（的话），（就）…… **If ...then ...**

　　"要是……（的话），就……" joins the two clauses of a complex sentence. It indicates the result of a hypothetical condition, e.g.

（1）要是有时间的话，我想去中国历史博物馆参观参观。

（2）要是你想去王府井的话，就去吧。

（3）要是你喜欢，就买吧。

3. "以前"和"以后" **Before (ago); after (later)**

　　"以前" indicates before now or before a specific time. It could be used independently, or used after verbs (including verb phrase) or time words. "以后" indicates after now or after a specific time. It could also be used alone, or used after verbs (including verb phrase) or time words. E.g.

（1）**Used independently：** 以前我不知道。/我以前不知道。

　　　　　　　　　　　　以前我就认识他。/我以前就认识他。

　　　　　　　　　　　　以后我们再去那儿吧。/我们以后再去哪儿吧。

（2）**After time words：** 八点以前/一年以前

2008年以后／一个月以后

（3）After a verb phrase： 下课以前／上课以后

参观完以前／参观完以后

句型操练 | Pattern Drills

1. 要是有时间的话，我想去中国历史博物馆参观参观。

   要是……的话，我想……。

明天不上课　　　　周末有空儿　　　　做完作业
去王府井买衣服　　去看京剧　　　　　听音乐

2. 中国历史博物馆我去过一次。

   ……我去过一次。

上海　　　　　　王府井　　　　　　天安门

趁热打铁　Strike While the Iron Is Hot

1. 你以前参观过博物馆吗？

3. 北京的博物馆有很多，像……什么的。

5. 就在……。

2. 没有，这是第一次。

4. 我对……特别感兴趣。……博物馆在哪儿？

6. 要是有时间的话，我想……。

词语扩展 | Vocabulary Extension

北京景点

故宫	北海公园	长城	天坛
Gù Gōng	Běihǎi Gōngyuán	Chángchéng	Tiān Tán

听与说 | Listening and Speaking

一 看图回答问题 Look and Answer

他去过北京的哪些地方？

二 双人练习 Pair Work

	A	B
①	这个周末你有空儿吗？	有空儿。你有事儿吗？
	电影院要上映一部有名的日本电影。	
	我在日本看过一遍，但是_____。	是中文的还是_____？
	日文的，但是有中文字幕。	我能听懂吗？
	没问题，_____。	当中文翻译？
	对呀，虽然_____，但是我想试试。	我还是一边听日语一边看字幕吧。

28

	A	B
②		没有，这是我第一次来长城。
	北京的长城有很多，像八达岭、慕田峪什么的。	
	这是八达岭长城。	要是有时间的话，我还想＿＿＿＿。
	不行，慕田峪长城离这儿很远。	要是下个周末有空儿的话，＿＿＿。

三 根据实际情况回答问题 Answer the Questions According to Actual Situations

1. 你看过京剧吗？

2. 你看过哪些中国电影？

3. 你参观过北京的博物馆吗？

汉字 | Characters

1. 汉字偏旁 Sides of Chinese Characters （24）

| ⺊ bā zì tóu | 首 | 牛 niú zì páng | 特 |

2. 汉字组合 Composition of Chinese Characters （24）

八字头 bā zì tóu	⺮ ＋ 百	首
	⺮ ＋ 歬	前
	⺮ ＋ 弟	弟
	⺮ ＋ 丰	半
	⺮ ＋ 刀	分
牛字旁 niú zì páng	牛 ＋ 寺	特
	牛 ＋ 勿	物
	牛 ＋ 口	告

读与写 | Reading and Writing

一 把括号中的词填入适当的位置 Put the Words into the Appropriate Places

1. 要是有时间，A 我们 B 去一次 C 王府井吧。 （就）

2. 我 A 看 B 一次京剧 C。 （过）

3. 我去 A 一次 B 王老师家 C。 （过）

29

二 选词填空 Fill in the Blanks

1. 以前马克来_____几次中国。 （了，过）

2. 一个生词我们要写几十_____。 （次，遍）

3. 昨天我看_____两部电影。 （了，过）

三 填写并完成对话 Fill in the Blanks and Complete the Conversation

A: _____？ （过）

B: 我去过王府井。

A: _____？ （次）

B: 我去过三次。

A: 王府井可以看电影吗？

B: 可以。这个周末要上映一部中国电影。

_____？ （吧）

A: 太好了。

四 朗读短文 Read Aloud

　　我以前没有参观过北京的博物馆，这是第一次。北京的博物馆有很多，像首都博物馆、军事博物馆、历史博物馆什么的。我对中国历史特别感兴趣。我想去参观中国历史博物馆。中国历史博物馆就在天安门广场东边。卡伦去过一次中国历史博物馆。要是卡伦有时间的话，我想跟她一起去。参观完历史博物馆以后我就能了解中国从 1840 年到 1949 年的历史了。

　　Wǒ yǐqián méiyǒu cānguān guò Běijīng de bówùguǎn, zhè shì dì yī cì. Běijīng de bówùguǎn yǒu hěn duō, xiàng Shǒudū Bówùguǎn, Jūnshì Bówùguǎn, Lìshǐ Bówùguǎn shénmede. Wǒ duì Zhōngguó lìshǐ tèbié gǎn xìngqù. Wǒ xiǎng qù cānguān Zhōngguó Lìshǐ Bówùguǎn. Zhōngguó Lìshǐ Bówùguǎn jiù zài Tiān'ānmén guǎngchǎng dōngbian. Kǎlún qù guò yí cì Zhōngguó Lìshǐ Bówùguǎn. Yàoshi Kǎlún yǒu shíjiān de huà, wǒ xiǎng gēn tā yìqǐ qù. Cānguān wán Lìshǐ Bówùguǎn yǐhòu wǒ jiù néng liǎojiě Zhōngguó cóng yībāsìlíng nián dào yījiǔsìjiǔ nián de lìshǐ le.

五 汉字练习 Chinese Characters

汉 字	笔　　顺
首	首 首 首 首 首 首 首 首 首
前	前 前 前 前 前 前 前 前 前
特	特 特 特 特 特 特 特 特 特 特
物	物 物 物 物 物 物 物 物

30

今天我请客

JĪntiān wǒ qǐngkè

句子 | Sentences

142	You won first place in the speech contest, didn't you?	这次演讲比赛你得了第一名？ Zhè cì yǎnjiǎng bǐsài nǐ dé le dìyī míng?
143	Today is my treat, what would you like to eat?	今天我请客，你想吃什么？ Jīntiān wǒ qǐngkè, nǐ xiǎng chī shénme?
144	It makes me feel uncomfortable.	那怎么好意思呢？ Nà zěnme hǎo yìsi ne?
145	What would you like to drink?	你们喝点儿什么？ Nǐmen hē diǎnr shénme?
146	Do you have any special dishes?	你们这儿有什么特色菜吗？ Nǐmen zhèr yǒu shénme tèsè cài ma?
147	How about a bowl of vinegar-pepper soup?	再来个酸辣汤吧。 Zài lái ge suānlàtāng ba.
148	Wait a moment. I'll be right back.	请稍等。马上就来。 Qǐng shāo děng. Mǎshàng jiù lái.

第一部分 | Part I

词语 | Words

1.	猜	cāi	to guess		6.	烤鸭	kǎoyā	roast duck
2.	名	míng	place (e.g, among winners)		7.	尝	cháng	to taste
3.	请客	qǐngkè	to treat, to invite to dinner		8.	门口	ménkǒu	doorway, gate
4.	段	duàn	period		9.	见面	jiànmiàn	to meet
5.	嘛	ma	(modal particle)		10.	庆祝	qìngzhù	to celebrate

31

(Scene: Karen and Huimei are in their room.)

惠美：你今天怎么这么高兴啊？
Huìměi: Nǐ jīntiān zěnme zhème gāoxìng a?

卡伦：你猜猜。
Kǎlún: Nǐ cāicai.

惠美：这次演讲比赛你得了第一名？
Huìměi: Zhè cì yǎnjiǎng bǐsài nǐ dé le dìyī míng?

卡伦：你猜对了。今天我请客，你想吃什么？
Kǎlún: Nǐ cāi duì le. Jīntiān wǒ qǐngkè, nǐ xiǎng chī shénme?

惠美：那怎么好意思呢？
Huìměi: Nà zěnme hǎo yìsi ne?

卡伦：这段时间你也给了我很多帮助，我得谢谢你。
Kǎlún: Zhè duàn shíjiān nǐ yě gěi le wǒ hěn duō bāngzhù, wǒ děi xièxie nǐ.

惠美：你太客气了，我们是朋友嘛！
Huìměi: Nǐ tài kèqi le, wǒmen shì péngyou ma!

卡伦：你吃过北京烤鸭吗？
Kǎlún: Nǐ chī guò Běijīng kǎoyā ma?

惠美：没吃过。
Huìměi: Méi chī guò.

卡伦：我也没吃过。咱们去尝尝吧。
Kǎlún: Wǒ yě méi chī guò. Zánmen qù chángchang ba.

惠美：好吧。
Huìměi: Hǎo ba.

卡伦：晚上六点半在校门口见面。咱们好好儿
Kǎlún: Wǎnshang liù diǎn bàn zài xiào ménkǒu jiànmiàn. Zánmen hǎohāor
庆祝庆祝。
qìngzhù qìngzhù.

注释 | Notes

1. 用"怎么"表示反问 Rhetorical questions with "怎么"

The interrogative pronoun "怎么" can be used in a rhetorical question, which emphasizes affirmation or negation. The structure of a rhetorical question is opposite to its meaning. The negative form emphasizes affirmation, and the affirmative form emphasizes negation.

对比：我怎么知道？　→　（意思是：我不知道。）

我怎么会不知道呢？　→　（意思是：我知道。）

例如：那怎么好意思呢？（意思是：我很不好意思。）

那怎么行？（意思是：这样不行。）

这怎么可以呢？（意思是：不可以。）

2. "嘛"

The modal particle "嘛" is used at the end of a sentence to emphasize an affirmation. It denotes that the matter should be like this or the reason is very obvious. E.g.

（1）我们是朋友嘛！不要客气。

（2）他是日本人嘛！汉字当然写得好。

（3）我不努力嘛，当然考得不好。

句型操练 | Pattern Drills

1. 这次<u>演讲比赛</u>我得了第一名。

这次……我得了第一名。

书法比赛

考试

游泳比赛

趁热打铁　Strike While the Iron Is Hot

1．你今天怎么这么高兴啊？
3．……。
5．那怎么好意思呢？
7．你太客气了，我们是朋友嘛！
9．没吃过。
11．好吧。

2．你猜猜。
4．你猜对了。今天我请客，你想吃什么？
6．这段时间你给了我很多帮助，我得谢谢你。
8．你吃过……吗？
10．我也没吃过，咱们去尝尝吧。
12．……在……见面。咱们好好儿庆祝庆祝。

第二部分 | Part II

词 语 | Words

1.	位	wèi	(measure word for persons)	**7.**	挺	tǐng	pretty, rather
2.	里边	lǐbian	inside	**8.**	点	diǎn	to order
3.	菜单	càidān	menu	**9.**	来	lái	to come
4.	啤酒	píjiǔ	beer	**10.**	稍	shāo	a little
5.	茶	chá	tea	**11.**	马上	mǎshàng	at once, immediately
6.	特色	tèsè	characteristic	**12.**	AA制	A A zhì	go Dutch

专有名词 Proper Nouns

1.	京酱肉丝	jīngjiàng ròusī	shredded pork with brown sauce
2.	麻婆豆腐	mápó dòufu	Mapo bean curd
3.	酸辣汤	suānlàtāng	vinegar-pepper soup

课文二 | Text 2

(Scene: Mark and Zhang Hua are in a Sichuan restaurant.)

服务员：　欢迎光临。请问，几位？
fúwùyuán:　Huānyíng guānglín. Qǐngwèn, jǐ wèi?

马 克：　两位。
Mǎkè:　Liǎng wèi.

服务员：　里边坐。这是菜单。你们喝点儿什么？
fúwùyuán:　Lǐbian zuò. Zhè shì càidān. Nǐmen hē diǎnr shénme?

马 克：　我们喝点儿啤酒吧。
Mǎkè:　Wǒmen hē diǎnr píjiǔ ba.

张 华：　你喝吧。我喝茶。
Zhāng Huá:　Nǐ hē ba. Wǒ hē chá.

马 克：　你们这儿有什么特色菜吗？
Mǎkè:　Nǐmen zhèr yǒu shénme tèsè cài ma?

服务员：　我们这儿的鱼香肉丝、京酱肉丝、麻婆豆
fúwùyuán:　Wǒmen zhèr de yúxiāng ròusī, jīngjiàng ròusī, mápó dòufu

　　　　　腐什么的，都挺不错的。
　　　　　shénmede, dōu tǐng búcuò de.

马 克：　好吧。给我们来个京酱肉丝和麻婆豆腐。
Mǎkè:　Hǎo ba. Gěi wǒmen lái ge jīngjiàng ròusī hé mápó dòufu.

　　　　　张华，你再点一个吧？
　　　　　Zhāng Huá, nǐ zài diǎn yí ge ba?

张 华：　再来个酸辣汤吧。
Zhāng Huá:　Zài lái ge suānlàtāng ba.

服务员：　请稍等。马上就来。
fúwùyuán:　Qǐng shāo děng. Mǎshàng jiù lái.

张 华：　今天咱们ＡＡ制吧。
Zhāng Huá:　Jīntiān zánmen A A zhì ba.

马 克：　那怎么行？今天我请客。
Mǎkè:　Nà zěnme xíng? Jīntiān wǒ qǐngkè.

35

注 释 | Notes

1. **副词"挺" Adverb "挺"**
   The adverb "挺" is used in spoken Chinese in front of adjectives or verbs, indicating comparatively high

degree. Usually "的" is used at the end of the sentence. E.g.

（1）你们这儿的菜都挺不错的。

（2）我挺喜欢听音乐的。

（3）你汉字写得挺好的。

2. "来"

The verb "来" indicates a certain action. It is usually used as a substitute of other verbs which have more concrete meanings. E.g.

（1）给我们来个酸辣汤吧。（此处是"上菜"的意思。）

（2）我们来场比赛吧。（此处是"进行"的意思。）

（3）你们都喝，我也来一瓶吧。（此处是"喝"的意思。）

3. "AA制" Go Dutch

It means each person pays his or her own portion of the bill equally. E.g.

（1）我们AA制吧。

（2）中国人吃饭的时候，不喜欢AA制。

（3）你别请客了，咱们AA制吧。

句型操练 | Pattern Drills

1. 你们喝点儿什么？

　你们……点儿什么？

吃　　　　点

2. 你们这儿有什么特色菜吗？

　你们这儿有什么……吗？

减肥的药　　打折的衣服　　好听的CD

趁热打铁　Strike While the Iron Is Hot

1. 你以前来过这家饭馆儿吗？
3. 这儿的特色菜有很多，像……什么的。
5. 服务员，给我们来个……和……。你再点一个。
7. 咱们喝点儿什么？
9. 那怎么行？今天我请客。

2. 没有，这是第一次。
4. 你点吧，我随便。
6. 再来个……吧。
8. ……吧。今天我们AA制。

词语扩展 | Vocabulary Extension

北京老字号餐厅

全聚德烤鸭店

Quánjùdé Kǎoyādiàn

东来顺

Dōngláishùn

仿膳饭店

Fǎngshàn Fàndiàn

老北京面馆

Lǎo Běijīng Miànguǎn

37

听与说 | Listening and Speaking

一 看图回答问题 Look and Answer

在北京你去过哪些老字号的餐厅吃饭？吃过什么菜？

二 双人练习 Pair Work

A	B
你今天怎么这么高兴啊？	
我猜……这次考试你得了第一名。	_____。今天我请客，你想吃什么？
	你给了我很多帮助，我得谢谢你。
_____，我们是朋友嘛！	你吃过铁板牛肉吗？
	我也没吃过。_____。
好吧。	晚上五点半在宿舍见面。咱们好好庆祝庆祝。

①

A	B
	我以前没来过这家饭馆儿。这是第一次。
	我想喝可乐。
我喝雪碧吧。你想吃什么？	随便。我第一次来，不知道什么菜好吃。
这儿的扬州炒饭、木樨肉、铁板牛肉什么的，都挺不错的。	那我们来个_____吧。你再点一个吧。
再来个扬州炒饭怎么样？	
	那怎么行？今天我请客。

②

38

三 根据实际情况回答问题 Answer the Questions According to Actual Situations

1. 你吃过北京烤鸭吗？
2. 你吃过哪些中国菜？
3. 你喜欢喝什么？

汉字 | Characters

1. 汉字偏旁 Sides of Chinese Characters（25）

 guǎng zì pāng 床 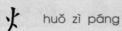 huǒ zì pāng 烤

2. 汉字组合 Composition of Chinese Characters（25）

广字旁 guǎng zì pāng	广 ＋ 大 广 ＋ 占 广 ＋ 木 广 ＋ 应	庆 店 床 应
火字旁 huǒ zì pāng	火 ＋ 考 火 ＋ 丁	烤 灯

读与写 | Reading and Writing

一　把括号中的词填入适当的位置 Put the Words into the Appropriate Places

1. 你书法 **A** 写得 **B** 好的 **C** 。　　　　（挺）
2. 我应该帮助你 **A** ，我们是 **B** 朋友 **C** 。　（嘛）
3. **A** 我 **B** 知道 **C** 他在哪儿？　　　　（怎么）

二　选择适当的问句或答句 Choose and Complete

1. **A**：今天我请客。
   B：＿＿＿＿＿＿＿＿＿＿＿＿＿＿＿＿
   □ 那我怎么好意思呢？
   □ 不客气。

2. **A**：你们来点儿什么？
   B：＿＿＿＿＿＿＿＿＿＿＿＿＿＿＿＿
   □ 给我来个鱼香肉丝吧。
   □ 我们来学校。

三　填写并完成对话 Fill in the Blanks and Complete the Conversation

A：＿＿＿＿＿＿＿＿＿＿＿？（什么）
B：我们喝点儿啤酒吧。
A：请点菜。
B：＿＿＿＿＿＿＿＿＿＿＿？（特色菜）

A: 我们这儿的鱼香肉丝、京酱肉丝、麻婆豆腐什么的，都挺不错的。

B: _____。（来）

A: 请稍等。马上就来。

四 朗读短文 Read Aloud

　　我今天特别高兴，演讲比赛我得了第一名。惠美这段时间给了我很多帮助，我得谢谢她。今天我请客。晚上六点半我们在校门口见面，一起去吃北京烤鸭。我们以前都没吃过。今天我们要去尝尝。我们要好好儿庆祝一下儿。

　　Wǒ jīntiān tèbié gāoxìng, yǎnjiǎng bǐsài wǒ dé le dì yī míng. Huìměi zhè duàn shíjiān gěi le wǒ hěn duō bāngzhù, wǒ děi xièxie tā. Jīntiān wǒ qǐngkè. Wǎnshang liù diǎn bàn wǒmen zài xiào ménkǒu jiànmiàn, yìqǐ qù chī Běijīng kǎoyā. Wǒmen yǐqián dōu méi chī guò. Jīntiān wǒmen yào qù chángchang. Wǒmen yào hǎohāor qìngzhù yíxiàr.

五 汉字练习 Chinese Characters

汉字	笔 顺
庆	庆 庆 庆 庆 庆 庆
应	应 应 应 应 应 应 应
烤	烤 烤 烤 烤 烤 烤 烤 烤 烤 烤
灯	灯 灯 灯 灯 灯 灯

第 29 课

咱们带一束花去吧
Zánmen dài yí shù huā qù ba

句 子	Sentences

149	Zhang Hua has invited us to her home this Saturday.	这个周六张华请咱们去她家做客。 Zhège zhōuliù Zhāng Huá qǐng zánmen qù tā jiā zuòkè.
150	In our country, you could also take a bunch of flowers or some fruit when you go to visit others' homes.	在我们国家，去别人家做客的时候也 Zài wǒmen guójiā, qù biérén jiā zuòkè de shíhou 可以带一束花，或者一些水果去。 yě kěyǐ dài yí shù huā, huòzhě yìxiē shuǐguǒ qù.
151	Let's take a bunch of flowers when we go there.	咱们带一束花去吧。 Zámen dài yí shù huā qù ba.
152	Welcome to my home.	欢迎你们来我家玩儿。 Huānyíng nǐmen lái wǒ jiā wánr.
153	When did you get here?	你们是什么时候到的？ Nǐmen shì shénme shíhou dào de?
154	We came by taxi.	我们是坐出租汽车来的。 Wǒmen shì zuò chūzū qìchē lái de.
155	Let's toast to this party.	让我们为这次聚会干杯。 Ràng wǒmen wèi zhè cì jùhuì gānbēi.

第一部分	Part I

词 语 | Words

1.	周	zhōu	week	6.	红酒	hóng jiǔ	red wine
2.	做客	zuòkè	to be a guest	7.	酒	jiǔ	wine, alcohol, liquor
3.	礼物	lǐwù	gift, present	8.	国家	guójiā	country
4.	该	gāi	should, ought to	9.	别人	biérén	other people, others
5.	噢	ō	Oh	10.	束	shù	bunch

11.	花	huā	flower	13.	些	xiē	some, several
12.	或者	huòzhě	or	14.	水果	shuǐguǒ	fruit

课文一 | Text 1

(Scene: Karen and Huimei are discussing what gift they should take when they go visit Zhang Hua at her home.)

卡伦: 这个周六张华请咱们去她家做客，咱们
Kǎlún: Zhège zhōuliù Zhāng Huá qǐng zánmen qù tā jiā zuòkè, zánmen
带什么礼物去好呢?
dài shénme lǐwù qù hǎo ne?

惠美: 你以前去过中国人家吗?
Huìměi: Nǐ yǐqián qù guò Zhōngguórén jiā ma?

卡伦: 没有。这是第一次。
Kǎlún: Méiyǒu. Zhè shì dìyī cì.

惠美: 我也是。不知道该带什么。
Huìměi: Wǒ yě shì. Bù zhīdào gāi dài shénme.

卡伦: 你知道他们俩带什么去吗?
Kǎlún: Nǐ zhīdào tāmen liǎ dài shénme qù ma?

惠美: 谁呀?
Huìměi: Shuí ya?

卡伦: 还有谁? 安德鲁和马克呀。
Kǎlún: Hái yǒu shuí? Āndélǔ hé Mǎkè ya.

惠美: 噢, 安德鲁告诉过我, 他们准备带一瓶
Huìměi: Ō, Āndélǔ gàosù guò wǒ, tāmen zhǔnbèi dài yì píng
红酒去。
hóng jiǔ qù.

卡伦: 咱们不能再带酒吧。
Kǎlún: Zánmen bù néng zài dài jiǔ ba.

惠美: 在我们国家, 去别人家做客的时候也可
Huìměi: Zài wǒmen guójiā, qù biérén jiā zuòkè de shíhou yě kěyǐ dài
以带一束花, 或者一些水果去。
yí shù huā, huòzhě yìxiē shuǐguǒ qù.

卡伦: 咱们带一束花去吧。
Kǎlún: Zánmen dài yí shù huā qù ba.

惠美: 好。
Huìměi: Hǎo.

注 释 | Notes

1. 兼语句　**The pivotal sentence**

The pivotal sentence is used to express "let sb. do sth.". The first verb are usually "请"，"叫"，"让"。The object of the first verb functions at the same time as the subject of the second verb.

Subject (S)	V	O/S	Predicate (P)
我	请	你	吃饭。
老师	让	他	听写生词。
他	请	朋友	看京剧。

2. 简单趋向补语（2）　**Simple complements of direction (2)**

When there is an object referring to things in the sentence, the object can be placed either between the verb and "来/去" or after "来/去".When it is a word referring to a thing, the object can be placed either before or after "来/去".

Subject(S)	Predicate (P)		
	V	O	来/去
我	带	一束花	去。
他	带	词典	来了。

Subject(S)	Predicate (P)		
	V	来/去	O
我	带	去	一束花。
我	带	来	词典了。

3. 连词"或者"　**The conjunction "或者"**

Both "或者"and "还是"denote the alternative relation, and both mean"or".

"还是"is used in questions, while "或者"or "或" for short is used in statements. E.g.

（1）去别人家做客的时候也可以带一束花，或者（或）一些水果去。

（2）我晚上看看书，或者听听音乐。

（3）我锻炼的时候，或者跑步，或者游泳。

句型操练 | Pattern Drills

1. 这个周六张华请咱们去她家做客。

　　这个周六……请咱们去她家做客。

| 王老师 | 张华的妈妈 | 李明 |

2. 咱们带一束花去吧。
   咱们带……去吧。

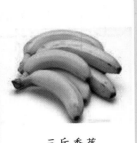

一瓶红酒   两斤苹果   三斤香蕉

趁热打铁   Strike While the Iron Is Hot

1. 这个周六……请咱们去她家做客。
3. 你以前去过中国人家吗?
5. 我也是。不知道该送什么。
7. 那咱们带……去吧。

2. 咱们带什么礼物去好呢?
4. ……。这是第一次。
6. 在我们国家,去别人家做客的时候可以带……。
8. 好!

第二部分 | Part II

词语 | Words

1.	玩儿	wánr	to play, to have fun	**7.**	为了	wèile	in order to, for the purpose of
2.	都	dōu	already	**8.**	让	ràng	to let
3.	早	zǎo	early	**9.**	为	wèi	for
4.	公共汽车	gōnggōng qìchē	bus	**10.**	聚会	jùhuì	party
5.	出租汽车	chūzūqìchē	taxi	**11.**	干杯	gānbēi	cheers
6.	站	zhàn	to stand				

44

课文二 | Text 2

(Scene: when Mark and Andrew arrived at Zhang Hua's home, Karen and Huimei are already there.)

张华: 你们来了! 快请进! 欢迎你们来我家玩儿。
Zhāng Huá: Nǐmen lái le! Kuài qǐng jìn! Huānyíng nǐmen lái wǒ jiā wánr.

马克: 卡伦到了吗?
Mǎkè: Kǎlún dào le ma?

张华: 她早就到了。她是跟惠美一起来的。
Zhāng Huá: Tā zǎo jiù dào le. Tā shì gēn ðuìměi yìqǐ lái de.

卡伦: 你们怎么才来? 你看看表,都七点多了。
Kǎlún: Nǐmen zěnme cái lái? Nǐ kànkan biǎo, dōu qī diǎn duō le.

马克: 路上堵车。你们是什么时候到的?
Mǎkè: Lùshang dǔchē. Nǐmen shì shénme shíhou dào de?

卡伦: 我们六点半就到了。
Kǎlún: Wǒmen liù diǎn bàn jiù dào le.

马克: 你们是怎么来的?
Mǎkè: Nǐmen shì zěnme lái de?

卡伦: 我们是坐公共汽车来的。你们呢?
Kǎlún: Wǒmen shì zuò gōnggòng qìchē lái de. Nǐmen ne?

马克: 我们是坐出租汽车来的。
Mǎkè: Wǒmen shì zuò chūzū qìchē lái de.

张华: 别站在那儿,快进来坐吧。
Zhāng Huá: Bié zhàn zài nǎr, kuài jìnlái zuò ba.

马克: 你怎么做了这么多菜呀?
Mǎkè: Nǐ zěnme zuò le zhème duō cài ya?

张华: 当然是为了欢迎你们了。来,让我们为
Zhāng ðuá: Dāngrán shì wèile huānyíng nǐmen le. Lái, ràng wǒmen wèi
这次聚会干杯。
zhè cì jùhuì gānbēi.

马克:
Mǎkè:

卡伦: 干杯!
Kǎlún: Gānbēi!

惠美:
Huìměi:

45

注 释 | Notes

"是……的"

The structure "是……的" emphasizes the time, location, manner, purpose and target, etc. of an action that has already taken place or completed. In an affirmative sentence, "是" may be omitted, while in a negative sentence "是" cannot be omitted.

Subject(S)	Predicate (P)		
	（是）	Time+V+(O)	的
你	（是）	什么时候来	的?
我	（是）	昨天来	的。
我	（是）	六点半到家	的。

Subject(S)	Predicate (P)		
	（是）	Location+V+(O)	的
你	（是）	在哪儿认识他	的?
我	（是）	从美国来	的。
这双鞋	（是）	在王府井买	的。

Subjec	Predicate (P)		
	（是）	Manner+V+(O)	的
你	（是）	怎么来	的?
他	（是）	坐出租汽车来	的。
我	（是）	一个人来	的。

The negative form is:

Subject(S)	Predicate (P)		
	不是	(Time、Location、Manner)+V+(O)	的。
这本书	不是	今年买	的。
我	不是	一个人来	的。
他	不是	坐公共汽车去	的。

When the verb takes a noun as its object, the object is often placed after "的".

Subject(S)	Predicate (P)			
	（是）	Manner+V	的	O
我	（是）	昨天来	的	北京。
他	（是）	在美国学	的	汉语。
我	（是）	坐公共汽车去	的	王府井。

句型操练 | Pattern Drills

1. 欢迎你来我家玩儿。
   欢迎你来……玩儿。

| 上海 | 北京 | 我的宿舍 |

2. 你们是什么时候到的？
   你们是什么时候……的？

| 考完 | 吃完 |

3. 让我们为这次聚会干杯。
   让我们为……干杯。

| 惠美得第一名 | 卡伦的生日 | 友谊 |

47

趁热打铁 Strike While the Iron Is Hot

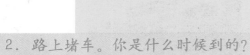

1. 你怎么才来？你看看表，都……了。
3. 我……就到了。
5. 我是……的。你呢?

2. 路上堵车。你是什么时候到的？
4. 你是怎么来的？
6. 我是……的。

词语扩展 | Vocabulary Extension

为……干杯

爸爸妈妈的健康
bāba māma de jiànkāng

我们的学习进步
wǒmen de xuéxí jìnbù

你的成功
nǐ de chénggōng

他们的幸福
tāmen de xìngfú

酒

二锅头
èrguōtóu

XO

长城干红
Chángchéng gānhóng

五粮液
wǔliángyè

听与说 | Listening and Speaking

一 看图回答问题 Look and Answer

这些都是什么酒？　　你喜欢喝酒吗？　　　在你们国家多大可以喝酒？

二 双人练习 Pair Work

A	B
这个周日李明请咱们去他家做客。	
我不知道带什么礼物去好。	你以前去过中国人家吗？
_____，这是第一次。	
在我们国家，去别人家做客常常带一束花。	咱们_____吧。
你们国家呢？	在我们国家，去别人家做客常常带一瓶酒。
李明是男生。咱们还是带_____去吧。	好吧。

①

A	B
你怎么才来？你看看表，都九点多了。	路上堵车。_____？
我七点半就到教室了。	
我是骑自行车来学校的。_____？	我是坐出租汽车来的。
	我今天早上四点半睡的。
为什么睡得那么晚？	我看了两部电影。
以后周末看电影，别睡得太晚。	好吧。今天晚上我十点半就睡觉。

②

三 根据实际情况回答问题 Answer the Questions According to Actual Situations

1. 你是哪一年出生的？

2. 你是什么时候开始学汉语的？

3. 在你们国家，去别人家做客一般带什么礼物？

汉字 | Characters

1. 汉字偏旁 Sides of Chinese Characters （26）

礻	shì zì pāng	祝	小	xiǎo zì tóu	当

2. 汉字组合 Composition of Chinese Characters （26）

示字旁 shì zì pāng	礻 ＋ 兄	祝
	礻 ＋ 见	视
	礻 ＋乚	礼
小字头 xiǎo zì tóu	小 ＋ 彐	当
	小 ＋丿	少
	小 ＋ 帯	常
	小 ＋ 云	尝

50

读与写 | Reading and Writing

一 把括号中的词填入适当的位置 Put the Words into the Appropriate Places

1. 明天我 **A** 你 **B** 吃 **C** 中国菜。　　　　　（请）
2. 我 **A** 跟朋友一起去 **B** 的王府井 **C** 。　　（是）
3. **A** 我 **B** 带词典 **C** 来。　　　　　　　　　（没）

二 选词填空 Fill in the Blanks

1. 去做客的时候，可以带一束花，_____一些水果去。　　（或者，还是）
2. 来，_____我们的友谊干杯。　　　　　　　　　　　（为，给，对）
3. 你跟他一起来_____吗?　　　　　　　　　　　　　（的，了）

三 填写并完成对话 Fill in the Blanks and Complete the Conversation

A：_____? （是……的）

B：我是今年九月来中国的。

A：_____? （是……的）

B：我是坐飞机来的。

A：_____? （是……的）

B：不是，我是跟朋友一起来的。

A：_____? （是……的）

B：对，我是来学习汉语的。

四 朗读短文 Read Aloud

　　这个周六张华请我们去她家做客。我以前没去过中国人家，这是第一次。我们不知道带什么礼物去好。我的一个朋友准备带一瓶红酒去。我们带什么好呢？对了，在我们国家，去别人家做客的时候也可以带一束花，或者一些水果。那我们就带一束花去吧。

Zhège zhōuliù Zhāng Huá qǐng wǒmen qù tā jiā zuòkè. Wǒ yǐqián méi qù guò Zhōngguórén jiā, zhè shì dìyī cì. Wǒmen bù zhīdào dài shénme lǐwù qù hǎo. Wǒ de yí ge péngyou zhǔnbèi dài yì píng hóng jiǔ qù. Wǒmen dài shénme hǎo ne? Duì le, zài wǒmen guójiā, qù biérén jiā zuòkè de shíhou yě kěyǐ dài yí shù huā, huòzhě yìxiē shuǐguǒ. Nà wǒmen jiù dài yí shù huā qù ba.

51

五 汉字练习 Chinese Characters

汉字	笔　　顺
祝	祝 祝 祝 祝 祝 祝 祝 祝 祝
视	视 视 视 视 视 视 视 视
当	当 当 当 当 当 当
常	常 常 常 常 常 常 常 常 常 常 常

第**30**课

以后再说吧

Yǐhòu   zài   shuō   ba

句 子 | Sentences

156	Sorry, I can't make it.	对不起，我去不了。 Duìbuqǐ, wǒ qù bu liǎo.
157	I have to wait for the courier in the dormitory. I can't go anywhere.	我要在宿舍等特快专递，哪儿也不能 Wǒ yào zài sùshè děng tèkuài zhuāndì, nǎr yě bù 去。 néng qù.
158	What a pity you miss it!	真不巧。 Zhēn bù qiǎo.
159	If you don't go, neither will I.	你不去，我也不去了。 Nǐ bú qù, wǒ yě bú qù le.
160	Why won't let me sleep?	为什么不让我睡懒觉？ Wèishénme bú ràng wǒ shuìlǎnjiào?
161	Do you think I'm kidding?	我什么时候开玩笑了？ Wǒ shénme shíhou kāiwánxiào le?
162	Let's talk about it later.	以后再说吧。 Yǐhòu zài shuō ba.

第一部分 | Part I

词 语 | Words

1.	票	piāo	ticket	7.	化妆品	huàzhuāngpǐn	makeup, cosmetics
2.	了	liǎo	(modal particle)				
3.	啦	la	(modal particle)	8.	送	sòng	to deliver
4.	特快专递	tèkuài zhuāndì	Express Mail Service, courier	9.	巧	qiǎo	opportunely, coincidentally
5.	东西	dōngxi	thing, stuff	10.	退	tuì	to return
6.	网	wǎng	the Internet	11.	可惜	kěxī	it's a pity

52

课文一 | Text 1

(Scene: Mark comes to meet Zhang Hua.)

马克: 张华，我买了两张足球比赛的票。咱们
Mǎkè: Zhāng Huá, wǒ mǎi le liǎng zhāng zúqiú bǐsài de piào. Zánmen
一起去看吧。
yìqǐ qù kàn ba.

张华: 哪天的？
Zhāng Huá: Nǎ tiān de?

马克: 明天下午两点的。
Mǎkè: Míngtiān xiàwǔ liǎng diǎn de.

张华: 对不起，我去不了。
Zhāng Huá: Duìbuqǐ, wǒ qù bu liǎo.

马克: 怎么啦？
Mǎkè: Zěnme la?

张华: 我要在宿舍等特快专递，哪儿也不能
Zhāng Huá: Wǒ yào zài sùshè děng tèkuài zhuāndì, nǎr yě bù néng
去。
qù.

马克: 有人给你寄东西吗？
Mǎkè: Yǒu rén gěi nǐ jì dōngxi ma?

张华: 不是。我在网上买了几件化妆品。明天
Zhāng Huá: Bú shì. Wǒ zài wǎng shang mǎi le jǐ jiàn huàzhuāngpǐn. Míngtiān
下午三点以前送来。
xiàwǔ sān diǎn yǐqián sòng lái.

马克: 真不巧。
Mǎkè: Zhēn bù qiǎo.

张华: 足球比赛我也看不懂，你找别人吧。
Zhāng Huá: Zúqiú bǐsài wǒ yě kàn bu dǒng, nǐ zhǎo biérén ba.

马克: 你不去，我也不去了。我去把票退了。
Mǎkè: Nǐ bú qù, wǒ yě bú qù le. Wǒ qù bǎ piào tuì le.

张华: 太可惜了。
Zhāng Huá: Tài kěxī le.

注释 | Notes

可能补语 （1） Complements of potentiality (1)

The structural particle "得" or "不" can be inserted between the verb and its resultative complement to indicate that the action is "possible" or "impossible" to achieve. The potential complement denotes whether a condition (subjective or objective) allows an action to take place, or an effect or change to be realized.

Subject (S)	Predicate (P)	
	V+得+CR(CP)	O
我	看得懂	这篇课文。
我	喝得完	这瓶水。
我	听得见	你的话。
我	去得了	上海。

The negative form is:

Subject (S)	Predicate (P)	
	V+不+CR(CP)	O
我	看不懂	这篇课文。
我	喝不完	这瓶水。
我	听不见	你的话。
我	去不了	上海。

The affirmative-negative question form is:

Subject (S)	Predicate (P)	
	V+得+CR/ V+不+CR	O
你	看得懂看不懂	这篇课文？
你	喝得完喝不完	这瓶水？
你	听得见听不见	我的话？
你	去得了去不了	上海？

句型操练 | Pattern Drills

1. 对不起，我**去**不了。
　　对不起，我……不了。

吃　　　　　参加　　　　　来

2. 我要在宿舍**等特快专递**，
　　哪儿也不能去。
　　我要在宿舍……，
　　哪儿也不能去。

练书法　　　　做作业　　　准备托福考试

3. 你不**去**，我也不**去**了。
　　你不……，
　　我也不……了。

报名　　　　　　　预习

趁热打铁　Strike While the Iron Is Hot

1. 我买了两张……票，咱们一起去看吧。
3. 明天晚上七点的。
5. 怎么啦？
7. 你不去，我也不去了。我去把票退了。

2. 哪天的？
4. 对不起，我去不了。
6. 我要在宿舍……，哪儿也不能去。
8. 太可惜了！

55

第二部分 | Part II

词语 | Words

1.	懒	lǎn	lazy		7.	再说	zàishuō	put off until some time later
2.	天气	tiānqì	weather		8.	总	zǒng	always
3.	冷	lěng	cold		9.	明白	míngbai	to understand, to realize
4.	逛	guàng	to stroll		10.	一定	yídìng	must
5.	胡同	hútòng	lane, alley; *Hutong*		11.	相信	xiāngxìn	to believe, to trust
6.	冬天	dōngtiān	winter					

课文二 | Text 2

(Scene: Mark's roommate urges him to get up.)

同屋：马克，快起床！
tóng wū: Mǎkè, kuài qǐchuáng!

马克：怎么了？今天不是周末吗？为什么不让我睡懒觉？
Mǎkè: Zěnme le? Jīntiān bú shì zhōumò ma? Wèishénme bú ràng wǒ shuìlǎnjiào?

同屋：今天天气不太冷，咱们一起去逛逛北京的胡同吧。
tóng wū: Jīntiān tiānqì bú tài lěng, zánmen yìqǐ qù guàngguang Běijīng de hútòng ba.

马克：什么？冬天逛胡同？你开玩笑吧？
Mǎkè: Shénme? Dōngtiān guàng hútòng? Nǐ kāiwánxiào ba?

同屋：我什么时候开玩笑了？你以前说过，要去参观北京的胡同的。
tóng wū: Wǒ shénme shíhou kāiwánxiào le? Nǐ yǐqián shuō guò, yào qù cānguān Běijīng de hútòng de.

马克：这几天太冷了，我哪儿也不想去。
Mǎkè: zhè jǐ tiān tài lěng le, wǒ nǎr yě bù xiǎng qù.

同屋：那你想什么时候去？
tóng wū: Nà nǐ xiǎng shénme shíhou qù?

马克：以后再说吧。
Mǎkè: Yǐhòu zài shuō ba.

同屋：	你总说"以后再说，以后再说"。
tóng wū:	Nǐ zǒng shuō "yǐhòu zài shuō, yǐhòu zài shuō".
马克：	我说过吗？
Mǎkè:	Wǒ shuō guò ma?
同屋：	我现在明白了，你说的"以后再说"就是
tóng wū:	Wǒ xiànzài míngbai le, nǐ shuō de "yǐhòu zài shuō" jiùshì
	不想去。
	bù xiǎng qù.
马克：	不是。我下个星期一定去。
Mǎkè:	Bú shì. Wǒ xià ge xīngqī yídìng qù.
同屋：	这次我该相信你吗？
tóng wū:	Zhè cì wǒ gāi xiāngxìn nǐ ma?

注 释 | Notes

1. "哪儿" 表示任指 "哪儿" indicating general denotation

Interrogative pronouns also can express general denotation. The adverb "都" or "也" needs to be added before the verbs. In this lesson, the interrogative pronoun "哪儿" indicates general denotation, which means "anywhere". It can be used as the subject or object. But it needs to be put before the verb and after the subject while it functions as the object.

① "哪儿" is used as the subject or part of the subject:

Subject (S)	Predicate (P) (都／也+V/Adj.)
哪儿	都很好。
去哪儿	都可以。

② "哪儿" is used as the object:

Subject (S)	Predicate (P)	
	O(哪儿)	都／也+V
我	哪儿	都想去。
我	哪儿	都不想去。
我	哪儿	也没去过。

2. "再说" Put off until some time later

"再说" means putting something off until the time or condition is available. Sometimes it indicates refusing others' request with euphemism, as is used in this lesson, E.g.

（1）我现在很忙，以后再说吧。

（2）今天我没空，明天再说吧。

（3）现在我很累，下次再说吧。

57

句型操练 | Pattern Drills

1. 为什么不让我睡懒觉？
   为什么不让我……？

看电视

吃汉堡

喝可乐

2. 以后再说吧。
   ……再说吧。

一	二	三	四	五	六	日
11	**12**	13 明天	**14**	**15**	16	17 周末
18	**19**	**20**	**21**	**22**	**23**	**24**

下 个 星 期

趁热打铁 Strike While the Iron Is Hot

1. ……，快起床！
3. 今天天气很好，咱们一起去……吧。
5. 那你想什么时候去？

2. 怎么了？今天不是周末吗？
   为什么不让我睡懒觉？
4. ……，我哪儿也不想去。
6. 以后再说吧。

词语扩展 | Vocabulary Extension

逛

逛街
guàng jiē

逛商场
guàng shāngchǎng

逛公园
guàng gōngyuán

逛市场
guàng shìchǎng

58

听与说 | Listening and Speaking

一　看图回答问题 Look and Answer

他们在逛什么地方？

二　双人练习 Pair Work

A	B
① 我买了两张电影票，咱们一起去看吧。	
明天上午十点的。	对不起，_____。
怎么啦？	明天上午我要参加托福考试。你找别人去吧。
你不去，我也_____，我去_____。	那我们看后天的吧。

A	B
② 快起床！	怎么了？今天不是星期天吗？_____？
今天天气很好。咱们一起去逛王府井吧。	我太累了，_____。
那你想什么时候去？	
你总说"以后再说"。	我说过吗？
我明白了，你说的"以后再说"就是_____。	不是。我们下个星期六一定去。

59

三　根据实际情况回答问题 Answer the Questions According to Actual Situations

1. 你什么时候用特快专递？
2. 你喜欢看足球比赛吗？
3. 你逛过北京的胡同吗？

读与写 | Reading and Writing

一　把括号中的词填入适当的位置 Put the Words into the Appropriate Places

1. 今天我 **A** 去 **B** 了 **C**。　　　　　　（不）

2. 上课的时候 **A** 你 **B** 听 **C** 懂吗？ （得）

3. 来北京以后 **A** 我 **B** 都没去过 **C** 。 （哪儿）

二 选择适当的问句或答句 Choose and Complete

1. **A**： 我们一起去看电影吧。

　B： _____。

　☐ 对不起，我去不了。

　☐ 对不起，我不去了。

2. **A**： _____？

　B： 我听得懂。

　☐ 这课录音你听得懂听不懂？

　☐ 这课录音你听得懂听得不懂？

三 填写并完成对话 Fill in the Blanks and Complete the Conversation

> **A**：我买了两张足球比赛的票。我们一起去看吧。
>
> **B**：_____？ （哪）
>
> **A**：明天下午的。
>
> **B**：对不起。_____。 （去不了）
>
> **A**：怎么啦？
>
> **B**：我要在宿舍等朋友，_____。 （哪儿）
>
> **A**：真不巧。
>
> **B**：你跟马克一起去吧。

四 朗读短文 Read Aloud

　　今天是周末。可是同屋不让我睡懒觉，让我早点儿起床。他说，今天天气不太冷，要我跟他一起去逛北京的胡同。我以前说过，我要去参观北京的胡同。可是不是现在。现在是冬天，太冷了，我哪儿也不想去。冬天逛胡同，我觉得他是开玩笑。我对他说，以后再说吧。

　　Jīntiān shì zhōumò. Kěshì tóng wū bú ràng wǒ shuìlǎnjiào, ràng wǒ zǎo diǎnr qǐchuáng. Tā shuō, jīntiān tiānqì bú tài lěng, yào wǒ gēn tā yìqǐ qù guàng Běijīng de hútòng. Wǒ yǐqián shuō guò, wǒ yào qù cānguān Běijīng de hútòng. Kěshì bú shì xiànzài. Xiànzài shì dōngtiān, tài lěng le, wǒ nǎr yě bù xiǎng qù. Dōngtiān guàng hútòng, wǒ juéde tā shì kāiwánxiào. Wǒ duì tā shuō, yǐhòu zài shuō ba.

咱们布置
Zánmen **bùzhì**

一下儿房间吧
yíxiàr **fángjiān** **ba**

句子 | Sentences

163	How time flies! Christmas is coming soon.	时间过得真快，圣诞节快要到了。 Shíjiān guò de zhēn kuài, Shèngdàn Jié kuàiyào dào le.
164	It's about the same as Spring Festival in China.	这跟中国的春节差不多。 Zhè gēn Zhōngguó de Chūn Jié chàbuduō.
165	You're pretty familiar with China.	你挺了解中国的。 Nǐ tǐng liǎojiě Zhōngguó de.
166	First, buy a Christmas tree, then buy some candles and colored lights, and after that decorate the Christmas tree.	先去买一棵圣诞树，再买一些蜡烛和小 Xiān qù mǎi yì kē shèngdànshù, zài mǎi yìxiē làzhú 彩灯，然后把圣诞树装饰一下儿。 hé xiǎo cǎi dēng, ránhòu bǎ shèngdànshù zhuāngshì yíxiàr.
167	Don't worry. Let's go and check in the department store.	别着急，咱们先去商场看看吧。 Bié zháojí, zánmen xiān qù shāngchǎng kànkan ba.
168	I don't like shopping.	我最不喜欢逛街了。 Wǒ zuì bù xǐhuan guàng jiē le.
169	Or ask Zhang Hua to give us some suggestions?	要不，请张华帮咱们参谋参谋？ Yàobù, qǐng Zhāng Huá bāng zánmen cānmóu cānmóu?

第一部分 | Part I

词语 | Words

1.	日历	rìlì	calendar		10.	树/圣	shù/shèng	tree/Christmas
2.	今年	jīnnián	this year			诞树	dànshù	tree
3.	放假	fàngjià	to have a vacation		11.	蜡烛	làzhú	candle
4.	过	guò	to spend		12.	彩灯	cǎi dēng	colorful light
5.	主要	zhǔyào	mainly		13.	然后	ránhòu	then
6.	差不多	chàbuduō	almost (the same)		14.	装饰	zhuāngshì	to decorate
7.	打扫	dǎsǎo	to clean		15.	热闹	rènao	bustling with noise and excitement
8.	布置	bùzhì	to decorate					
9.	棵	kē	(measure word for plants)					

专有名词 Proper Nouns

1.	圣诞节	Shèngdàn Jié	Christmas Day		2.	春节	Chūn Jié	Spring Festival
3.	平安夜	Píng'ān Yè	Christmas Eve		4.	除夕	chúxī	the New Year's Eve

课文一 | Text 1

(Scene: Huimei and Karen are chatting in their room.)

惠美: 时间过得真快，圣诞节快要到了。
Huìměi: Shíjiān guò de zhēn kuài, Shèngdàn Jié kuàiyào dào le.

卡伦: 是啊。离圣诞节只有一个多星期了。你看看日历，今年的圣诞节是星期几？
Kǎlún: Shì a. Lí Shèngdàn Jié zhǐyǒu yí ge duō xīngqī le. Nǐ kànkan rìlì, jīnnián de Shèngdàn Jié shì xīngqī jǐ?

惠美: 哎呀，是星期一。怎么办？咱们不放假。
Huìměi: Āiyā, shì xīngqīyī. Zěnme bàn? Zánmen bú fàngjià.

卡伦: 没关系。咱们过平安夜吧。圣诞节主要是过平安夜。
Kǎlún: Méiguānxi. Zánmen guò Píng'ān Yè ba. Shèngdàn Jié zhǔyào shì guò Píng'ān Yè.

惠美: 这跟中国的春节差不多。中国的春节也主要是过除夕。
Huìměi: Zhè gēn Zhōngguó de Chūn Jié chàbuduō. Zhōngguó de Chūn Jié yě zhǔyào shì guò chúxī.

卡伦：　你挺了解中国的。
Kǎlún:　Nǐ tǐng liǎojiě Zhōngguó de.

惠美：　当然。这个周末咱们打扫一下儿房间吧。
Huìměi:　Dāngrán. Zhège zhōumò zánmen dǎsǎo yíxiàr fángjiān ba.

卡伦：　还得布置一下儿。
Kǎlún:　Hái děi bùzhì yíxiàr.

惠美：　怎么布置呢？
Huìměi:　Zěnme bùzhì ne?

卡伦：　先去买一棵圣诞树，再买一些蜡烛和小
Kǎlún:　Xiān qù mǎi yì kē shèngdànshù, zài mǎi yìxiē làzhú hé xiǎo
　　　　彩灯，然后把圣诞树装饰一下儿。
　　　　cǎi dēng, ránhòu bǎ shèngdànshù zhuāngshì yíxiàr.

惠美：　对了，还要准备圣诞礼物。
Huìměi:　Duì le, hái yào zhǔnbèi shèngdàn lǐwù.

卡伦：　我们把马克、安德鲁、张华都叫来，大家一
Kǎlún:　Wǒmen bǎ Mǎkè, Āndélǔ, Zhāng Huá dōu jiào lái, dàjiā yìqǐ
　　　　起热闹热闹。
　　　　rènao rènao.

63

注 释 | Notes

1. 差不多　**Approximately, about**

The adverb "差不多" means almost, nearly, approximately. E.g.

（**1**）我差不多等了他两个小时。

（**2**）饭菜差不多好了，准备吃饭吧。

（**3**）她学汉语学了差不多三年了。

Note: "差不多" is often used with the prepositions "跟" and "和".E.g.

（**1**）我的习惯跟你差不多。

（**2**）他的学习方法跟我差不多。

2. 先……再（又）……然后……　**First ... then ... after that ...**

"先……再（又）……然后……" indicates consequence of the actions. E.g.

（**1**）星期天我先打扫房间，再布置房间，然后做饭。

（**2**）我要先去图书馆办借书卡，再去借书，然后去上网。

（**3**）我们先去买一棵圣诞树，再买来一些蜡烛和小彩灯，然后把圣诞树装饰一下。

句型操练 | Pattern Drills

1. 时间过得真快，圣诞节快要到了。

时间过得真快，……快要到了。

春节　　　　考试　　　　他的生日

2. 这跟中国的春节差不多。

……跟……差不多。

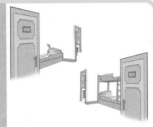

我的爱好／你　　　我头发的颜色／卡伦　　　这儿的环境／那儿

3. 先去买一棵圣诞树，再买来一些蜡烛和小彩灯，然后把圣诞树装饰一下。

先……，再……，然后……。

去教室上课／到食堂吃饭／回宿舍休息　　复习课文／做作业／预习生词　　　跑步／踢足球／洗澡

趁热打铁　Strike While the Iron Is Hot

1. 时间过得真快，春节快要到了。
3. 你看看日历，今年的春节是星期几？
5. 这个周末我们打扫一下儿房间吧。
7. 怎么布置呢？

2. 是啊，离春节只有……了。
4. ……。
6. 还得布置一下儿。
8. 先……，再……，然后……。

第二部分 | Part II

词 语 | Words

1.	后天	hòutiān	the day after tomorrow		7.	商场	shāngchǎng	department store
2.	已经	yǐjīng	already		8.	不过	búguò	but
3.	顶	dǐng	(measure word for hats)		9.	街	jiē	street
4.	帽子	màozi	hat		10.	要不	yàobù	or, otherwise
5.	秘密	mìmì	secret		11.	参谋	cānmóu	to give advice
6.	着急	zháojí	worry, anxious					

课文二 | Text 2

(Scene: Andrew and Mark are discussing what gifts they should buy for Karen and Huimei.)

马 克： 安德鲁，你在想什么？
Mǎkè: Āndélǔ, nǐ zài xiǎng shénme?

安德鲁： 我在想礼物的事。后天就要过圣诞节了，
Āndélǔ: Wǒ zài xiǎng lǐwù de shì. Hòutiān jiù yào guò Shèngdàn Jié le,
我还没想好送给卡伦什么礼物呢。
wǒ hái méi xiǎng hǎo sòng gěi Kǎlún shénme lǐwù ne.

马 克： 我已经买好了。
Mǎkè: Wǒ yǐjīng mǎi hǎo le.

安德鲁： 什么？你都买好了？你送给卡伦什么礼物？
Āndélǔ: Shénme? Nǐ dōu mǎi hǎo le? Nǐ sòng gěi Kǎlún shénme lǐwù?

马 克： 我给卡伦买了一顶帽子，也给张华准备了
Mǎkè: Wǒ gěi Kǎlún mǎi le yì dǐng màozi, yě gěi Zhāng Huá zhǔnbèi le
礼物。
lǐwù.

安德鲁： 给张华准备了什么礼物？
Āndélǔ: Gěi Zhāng Huá zhǔnbèi le shénme lǐwù?

马 克： 这是秘密！
Mǎkè: Zhè shì mìmì!

安德鲁： 那我送给卡伦什么好呢？
Āndélǔ: Nà wǒ sòng gěi Kǎlún shénme hǎo ne?

65

马克： 别着急，咱们先去商场看看吧。
Mǎkè: Bié zháojí, zánmen xiān qù shāngchǎng kànkan ba.

安德鲁： 那好吧。不过，我最不喜欢逛街了。
Āndélǔ: Nà hǎo ba. Búguò, wǒ zuì bù xǐhuan guàng jiē le.

马克： 要不，请张华帮咱们参谋参谋？听说她也
Mǎkè: Yàobù, qǐng Zhāng Huá bāng zánmen cānmóu cānmóu? Tīngshuō

要买圣诞礼物。
tā yě yào mǎi shèngdàn lǐwù.

安德鲁： 那太好了。
Āndélǔ: Nà tài hǎo le.

注释 | Notes

1. 要……了/快要……了/就要……了　**It's about to…**

It indicates something will happen soon.

Subject(S)	Predicate (P)		
	要/快要/就要	V+(O)	了
他	要	来北京	了。
我们	快要	考试	了。
圣诞节	就要	到	了。

While using "就要……了", we can use an adverbial of time or adverb before "就要".

Subject(S)	Predicate (P)		
	Adverbial of time	就要	V+(O)	了
他	明天	就要	来北京	了。
我	下个月	就要	回国	了。
我们	后天	就要	考试	了。

2. 连词"要不"　**Conjunction "要不"**

"要不" is used to introduce a situation that is similar or opposite to the previous situation for choice. The adverb "就" is used sequentially. E.g.

(1) 我们去王府井吧！要不，去公园也可以。

(2) A：我们吃点什么？
B：吃饺子吧，要不，吃馒头也行。

(3) 今天太忙了，要不，我们明天再逛街吧。

句型操练 | Pattern Drills

1. 我最不喜欢逛街了。
　　 我最不喜欢……了。

听京剧　　买衣服　　跳舞

2. 要不，请张华帮咱们参谋参谋。
　　 ……。要不，……。

坐公共汽车的人多
骑自行车去吧　　下雨了
打的去学校吧　　周末没有事情
看DVD吧

趁热打铁　Strike While the Iron Is Hot

1. 你在想什么？
3. 你妈妈喜欢吃的东西还是用的东西？
5. 别着急，咱们先去商场看看吧。
7. 要不，请……帮咱们参谋参谋。

2. ……是我妈妈的生日，我还没有想好送给她什么礼物呢。
4. ……。
6. 那好吧。不过，我最不喜欢逛街了。
8. 那太好了。

67

词语扩展 | Vocabulary Extension

中国传统节日

元宵节	端午节	七夕节	中秋节
Yuánxiāo Jié	Duānwǔ Jié	Qīxī Jié	Zhōngqiū Jié

听与说 | Listening and Speaking

一 看图回答问题 Look and Answer

他们在过什么节？

二 双人练习 Pair Work

	A	B
①	时间过得真快，中秋节快要到了。	是啊，离中秋节只有四天了。
	你看看日历，＿＿＿＿＿＿？	今年的中秋节是星期五。＿＿＿＿＿＿？
	下周有考试，我不能回家。	中秋节应该跟家人一起过吧？
	是啊，今年咱们班同学一起过吧。	太好了，＿＿＿＿＿＿＿＿＿？
	在教室过吧。	那星期四晚上咱们得把教室布置一下。
		先去买一些彩灯，然后把教室装饰一下。
	还要在黑板上写上"中秋节快乐！"	把同学们都叫来，大家一起＿＿＿＿。

	A	B
②		我在想礼物的事。
	什么礼物？送给谁的？	明天就是七夕节了，我还没想好送给女朋友什么礼物。
	哦，＿＿＿＿＿＿＿＿。	什么？你都买好了？＿＿＿＿＿＿？
	我给她买了一件衣服。	
	别着急，咱们先去商场看看吧。	好，咱们现在就出发吧。

三　根据实际情况回答问题 Answer the Questions According to Actual Situations

1. 父母（朋友）过生日的时候，你会送给他们什么礼物？

2. 你过生日的时候，父母（朋友）会送给你什么礼物？

3. 在你们国家，去别人家做客的时候，一般带什么礼物？

读与写 | Reading and Writing

一　把括号中的词填入适当的位置 Put the Words into the Appropriate Places

1. 他的习惯 **A** 跟 **B** 我 **C** 。　　　　　　　　（差不多）

2. 我给 **A** 他买 **B** 一顶帽子 **C** 。　　　　　　（了）

3. 我 **A** 做 **B** 完作业了 **C** 。　　　　　　　　（已经）

69

二　选词填空 Fill in the Blanks

1. 马克下个月＿＿＿＿＿开始工作了。　　　　（要，就要，快要）

2. 我下午三点＿＿＿＿＿出发了。　　　　　　（要，就要，快要）

3. 我先打扫房间，＿＿＿＿＿再好好布置一下。　（以后，然后）

三　填写并完成对话 Fill in the Blanks and Complete the Conversation

A：＿＿＿＿＿＿＿＿＿＿＿＿＿。　（快要）
这个圣诞节我们应该好好庆祝庆祝。
B：＿＿＿＿＿＿＿＿＿＿？　（怎么）
A：我们把朋友们都叫来，一起热闹热闹。
B：＿＿＿＿＿＿＿＿＿＿？　（礼物）
A：我已经准备好了。
B：＿＿＿＿＿＿＿＿＿＿？　（什么）

A：我给每个人买了一顶帽子。

B：我不知道，＿＿＿＿＿＿＿＿＿＿？　（……好呢）

A：别着急，咱们先去商场看看吧。

B：那好吧。不过，我最不喜欢逛街了。

A：＿＿＿＿＿＿＿＿＿＿＿＿＿＿＿。　（要不）

他最喜欢逛街了。

四　朗读短文 Read Aloud

　　时间过得真快，圣诞节快要到了。离圣诞节只有一个多星期了。我看了一下儿日历，今年的圣诞节是星期一，我们不放假。我想跟朋友们一起过平安夜。圣诞节主要是过平安夜。这跟中国的春节差不多。中国的春节也主要是过除夕。这个周末我们要打扫房间，也要布置房间。我先去买一棵圣诞树，再买一些蜡烛和小彩灯来，然后把圣诞树装饰一下儿。我想把朋友们都叫来，大家一起热闹热闹。

Shíjiān guò de zhēn kuài, Shèngdàn Jié kuài yào dào le. Lí Shèngdàn Jié zhǐyǒu yí ge duō xīngqī le. Wǒ kàn le yíxiàr rìlì, jīnnián de Shèngdàn Jié shì xīngqīyī, wǒmen bú fàngjià. Wǒ xiǎng gēn péngyou men yìqǐ guò Píng'ān Yè. Shèngdàn Jié zhǔyào shì guò Píng'ān Yè. Zhè gēn Zhōngguó de Chūn Jié chàbuduō. Zhōngguó de Chūn Jié yě zhǔyào shì guò chúxī. Zhège zhōumò wǒmen yào dǎsǎo fángjiān, yě yào bùzhì fángjiān. Wǒ xiān qù mǎi yì kē shèngdànshù, zài mǎi yìxiē làzhú hé xiǎo cǎi dēng lái, ránhòu bǎ shèngdànshù zhuāngshì yíxiàr. Wǒ xiǎng bǎ péngyou men dōu jiào lái, dàjiā yìqǐ rènao rènao.

32课

寒假你有什么打算

Hánjià nǐ yǒu shénme dǎsuàn

句子 | Sentences

170	I want to go back to my country as well as to travel.	我又想回国，又想去旅行。 Wǒ yòu xiǎng huí guó, yòu xiǎng qù lǚxíng.
171	I plan to go back to my country to see my parents.	我打算回国看父母。 Wǒ dǎsuàn huí guó kàn fùmǔ.
172	I have never been there.	我还没去过呢。 Wǒ hái méi qù guò ne.
173	You'd better go back to Beijing before the Spring Festival.	你最好能在春节前回到北京。 Nǐ zuìhǎo néng zài Chūn Jié qián huídào Běijīng.
174	It's my first time celebrating the New Year with a Chinese family.	这是我第一次在中国人家里过年。 Zhè shì wǒ dì yī cì zài Zhōngguórén jiā lǐ guònián.
175	It's very interesting to set off firecrackers, stick couplets, watch the Spring Festival evening performance, eat dumplings, and so on.	放鞭炮、贴春联、看春节晚会、吃 Fàng biānpào, tiē chūnlián, kàn chūnjié wǎnhuì, 饺子什么的，可有意思了。 chī jiǎozi shénmede, kě yǒu yìsi le.
176	I've forgotten most of it.	我都忘得差不多了。 Wǒ dōu wàng de chàbuduō le.

71

第一部分 | Part I

词语 | Words

| 1. | 寒假 | hánjià | winter vacation | 3. | 回 | huí | to go back |
| 2. | 打算 | dǎsuàn | plan, to plan | 4. | 旅行 | lǚxíng | travel, trip |

5.	父母	fùmǔ	parents	11.	受不了	shòubuliǎo	can not bear
6.	想念	xiǎngniàn	to miss	12.	够	gòu	enough
7.	地方	dìfang	place	13.	打工	dǎgōng	to do part-time job
8.	北	běi	north	14.	暑假	shǔjià	summer vacation
9.	最后	zuìhòu	finally, at last	15.	计划	jìhuà	plan
10.	船	chuán	boat				

专有名词 Proper Nouns

1.	香港	Xiānggǎng	Hongkong	4.	南京	Nánjīng	Nanjing
2.	深圳	Shēnzhèn	Shenzhen	5.	天津	Tiānjīn	Tianjin
3.	广州	Guǎngzhōu	Guangzhou				

课文一 | Text 1

(Scene: Andrew and Karen are talking about their winter vacation plan.)

安德鲁：　下周就要放寒假了，寒假你有什么打算？
Āndélǔ:　　Xià zhōu jiù yào fàng hánjià le, hánjià nǐ yǒu shénme dǎsuàn?

卡伦：　我还没想好。我又想回国，又想去旅行。你呢？
Kǎlún:　　Wǒ hái méi xiǎng hǎo. Wǒ yòu xiǎng huí guó, yòu xiǎng qù lǚxíng. Nǐ ne?

安德鲁：　我打算回国看父母。我很想念他们。
Āndélǔ:　　Wǒ dǎsuàn huí guó kàn fùmǔ. Wǒ hěn xiǎngniàn tāmen.

卡伦：　我也想。可是我更喜欢旅行。中国有那么多
Kǎlún:　　Wǒ yě xiǎng. Kěshì wǒ gèng xǐhuan lǚxíng. Zhōngguó yǒu nàme duō
　　好地方，我还没去过呢。
　　hǎo dìfang, wǒ hái méi qù guò ne.

安德鲁：　你都打算去哪儿？
Āndélǔ:　　Nǐ dōu dǎsuàn qù nǎr?

卡伦：　我想先坐飞机到香港，再从南往北，去深圳、
Kǎlún:　　Wǒ xiǎng xiān zuò fēijī dào Xiānggǎng, zài cóng nán wǎng běi,
　　广州，然后去南京、上海，最后从上海坐船
　　qù Shēnzhèn, Guǎngzhōu, ránhòu qù Nánjīng, Shànghǎi, zuìhòu
　　去天津，从天津回北京。
　　cóng Shànghǎi zuò chuán qù Tiānjīn, cóng Tiānjīn huí Běijīng.

安德鲁：这也太多了，身体受不了吧？
Āndélǔ: Zhè yě tài duō le, shēntǐ shòubuliǎo ba?

卡伦：主要是时间不够，回来后我还要打工呢。
Kǎlún: Zhǔyào shì shíjiān bú gòu, huílái hòu wǒ hái yào dǎgōng ne.

安德鲁：你别去那么多地方了。寒假先去几个地方，暑假再去几个地方。
Āndélǔ: Nǐ bié qù nàme duō dìfang le. hánjià xiān qù jǐ ge dìfang, shǔjià zài qù jǐ ge dìfang.

卡伦：你说得对。我再计划计划。
Kǎlún: Nǐ shuō de duì. Wǒ zài jìhuà jìhuà.

安德鲁：你最好能在春节前回到北京，在北京过春节。
Āndélǔ: Nǐ zuìhǎo néng zài Chūn Jié qián huí dào Běijīng, zài Běijīng guò Chūn Jié.

注释 | Notes

1. 又……又…… **Both ..., and ...**

"又……又……" is used to connect two parallel adjectives, verbs or verbal phrases. It denotes simultaneous existence of two conditions or states of affairs. E.g.

（1）这件毛衣又好又便宜。
（2）那个电影又长又没意思。
（3）我又想回国，又想去旅行。
（4）他汉语说得又快又好。

2. 还没(有)……呢 **Have not ... yet**

"还没（有）……呢" indicates that an action has not yet taken place, finished or realized. It suggests that the action is about to happen or will be finished in the future.

（1）A：你吃饭了吗？
　　　B：还没呢。
（2）A：这本书你看完了吗？
　　　B：还没有看完呢。
（3）A：你去过香港吗？
　　　B：还没去过呢。

3. "吧"（2） **The modal particle "吧"（2）**

It is used at the end of a question. It has an obvious tone of estimation and has an obvious expect for the

73

speaker's answer. E.g.

  （1）这本书是新买的吧？

  （2）你是卡伦吧？

  （3）汉语不太难吧？

句型操练 | Pattern Drills

1. 她又想回国，又想去旅行。
   她又……，又……。

想当翻译／想当导游 会说汉语／会说法语 想打工／想去旅行

74

2. 我打算回国看父母。
   我打算……。

在上海工作 当翻译 学做中国菜

3. 我还没去过上海呢。
   我还没……过……呢。

用／筷子 看／中国电影 放／鞭炮

趁热打铁　Strike While the Iron Is Hot

1. 下个月就要放暑假了，暑假你有什么打算？

3. 我打算……。

5. 你都打算去哪儿？

7. 天气太热，别太累了。

2. 我还没想好，又想……，又想……。你呢？

4. 我也想，可是我更喜欢……。

6. ……。

8. 你说得对，我要好好计划计划。

第二部分 | Part II

词语 | Words

1.	喂	wèi	hello	7.	春联	chūnlián	Spring Festival couplets
2.	声音	shēngyīn	voice, sound	8.	晚会	wǎnhuì	evening party
3.	过年	guònián	to celebrate the New Year	9.	提高	tígāo	to improve
4.	放	fàng	to set off (firecrackers)	10.	时	shí	time, season, period
5.	鞭炮	biānpào	firecracker	11.	羡慕	xiànmù	to admire
6.	贴	tiē	to paste	12.	明年	míngnián	next year

课文二 | Text 2

(Scene: Andrew is calling Mark from the U.S.A.)

安德鲁: 喂，是马克吗?
Āndélǔ: Wèi, shì Mǎkè ma?

马克: 是，安德鲁，好久没听见你的声音了。
Mǎkè: Shì, Āndélǔ, hǎojiǔ méi tīngjiàn nǐ de shēngyīn le.

安德鲁: 我打算后天回中国。你寒假在中国过得
Āndélǔ: Wǒ dǎsuàn hòutiān huí Zhōngguó. Nǐ hánjià zài Zhōngguó guò de
怎么样?
zěnmeyàng?

马克: 非常好。我在张华家过的春节，这是我第一次
Mǎkè: Fēicháng hǎo. Wǒ zài Zhāng Huá jiā guò de Chūn Jié, zhè shì wǒ dì
在中国人家里过年。
yī cì zài Zhōngguórén jiā lǐ guònián.

安德鲁: 他们怎么过年?
Āndélǔ: Tāmen zěnme guònián?

马克: 放鞭炮、贴春联、看春节晚会、吃饺子什么
Mǎkè: Fàng biānpào, tiē chūnlián, kàn chūnjié wǎnhuì, chī jiǎozi shénme
的，可有意思了。
de, kě yǒu yìsi le.

安德鲁: 你的汉语水平提高得很快啊。
Āndélǔ: Nǐ de Hànyǔ shuǐpíng tígāo de hěn kuài a.

马克: 是啊。春节时去哪儿都能遇到中国人，
Mǎkè: Shì a. Chūn Jié shí qù nǎr dōu néng yùdào Zhōngguórén,
说汉语的机会很多。
shuō Hànyǔ de jīhuì hěn duō.

75

安德鲁： 我都忘得差不多了。

Āndélǔ: Wǒ dōu wàng de chàbuduō le.

马克： 没问题，等你回来我们用汉语聊天。

Mǎkè: Méi wèntí, děng nǐ huílái wǒmen yòng Hànyǔ liáotiān.

安德鲁： 我真羡慕你，明年我也要在北京过春节。

Āndélǔ: Wǒ zhēn xiànmù nǐ, míngnián wǒ yě yào zài Běijīng guò Chūn Jié.

注释 | Notes

1. "喂" Hello

"喂" is often used when you call somebody or answer a phone to greet the person on the other side. E.g.

（1） A：喂，李明在吗？

　　　 B：请等一下，我去叫他。

（2） A：喂，你是马克吗？

　　　 B：对。你哪位？

2. 状态补语（2） Complements of manner （2）

The complement of manner of a verb can be an adjective phrase, verb phrase, preposition phrase or other relatively complicated form, which describes the status of the agent (or the recipient).

Subject (S)	Predicate (P)		
	V/Adj.	得	Complicated complement of manner
他	忘	得	差不多了。
我	看	得	忘了吃饭了。
我	高兴	得	不知道说什么好。

When the verb takes an object:

Subject (S)	Predicate (P)			
	(V)+O	V	得	Complicated complement of manner
他	说汉语	说	得	又快又好。
我	看电视	看	得	忘了吃饭。
马克	说汉语	说	得	跟中国人一样好。

句型操练 | Pattern Drills

1. 这是我第一次在中国人家里过年。

　　 这是我第一次……。

到中国人家里做客

给妈妈写信

在中国过生日

2. 放鞭炮、贴春联、看春节晚会、吃饺子什么的，可有意思了。

……什么的，可有意思了。

吃饭、聊天、看晚会　　　　买彩灯、装饰圣诞树、布置房间　　　　跑步、游泳、打篮球

趁热打铁　Strike While the Iron Is Hot

1. 你寒假过得怎么样？
3. 我在……过的春节。你呢？
5. 中国人怎么过春节？
7. 你的汉语水平提高得很快啊。

2. 非常好。
4. 我在……过的春节。
6. ……。
8. 哪里。

77

词语扩展 | Vocabulary Extension

过春节

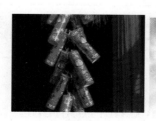

放鞭炮　　　　**贴春联**　　　　**吃年糕**　　　　**恭喜发财**
fàng biānpào　　tiē chūnlián　　chī niángāo　　gōngxǐ fācái

一 看图回答问题 Look and Answer

中国人怎么过春节?

二 双人练习 Pair Work

A	B
① 下周就要放寒假了,寒假你有什么打算?	我想去旅行。
	我想去香港和上海。
为什么去这两个地方?	去香港买东西比较便宜,也想看看上海的风景。
	我打算坐飞机去。先到香港,再从上海回北京。
	春节我想在北京过。

A	B
	是的,我在中国过的春节。
② 中国人一般怎么过春节?	_____什么的,可有意思了。
他们吃饺子还是元宵?	
什么时候吃元宵?	
明年我也要在中国过春节。	好啊,到时候我们一起放鞭炮。

三 根据实际情况回答问题 Answer the Questions According to Actual Situations

1. 你在中国人家里过过春节吗? 怎么过的?
2. 你们国家最重要的节日是什么? 人们一般怎么过?
3. 你打算去中国的哪些地方旅行?

读与写 | Reading and Writing

一 把括号中的词填入适当的位置 Put the Words into the Appropriate Places

1. 他 **A** 英语 **B** 说 **C** 跟美国人一样。 　　　　(得)

2. 我 **A** 没 **B** 给他 **C** 打电话呢。 （还）

3. 你能 **A** 听 **B** 我的声音 **C** 吗? （见）

二 选词填空 Fill in the Blanks

1. 很长时间不说汉语，我都忘_____差不多了。 （得，的）

2. 那个地方我_____没去过呢。 （还，再，又）

3. 最近太累了，我有点受不_____了。 （了，好，到）

三 填写并完成对话 Fill in the Blanks and Complete the Conversation

A：下周就要放寒假了，

_____? （打算）

B：我还没想好。

_____。 （又……又……）

A：我打算回国看父母。

_____。 （想念）

B：我也想。可是我更喜欢旅行。中国有那么多好地方。我还没去过呢。

A：_____? （想）

B：我想去香港、深圳、广州、南京、上海、天津，很多地方。

A：_____? （受得了）

B：我身体很好。没问题。

四 朗读短文 Read Aloud

今年寒假我没有回国。我在中国过的。春节我是在张华家过的，这是我第一次在中国人家里过年。我们一起放鞭炮、贴春联、看春节晚会、吃饺子什么的，可有意思了。还有，春节时去哪儿都能遇到中国人，说汉语的机会很多。我的汉语水平也提高得很快。安德鲁很羡慕我，明年他也想在北京过春节。

Jīnnián hánjià wǒ méiyǒu huí guó. Wǒ zài Zhōngguó guò de. Chūn Jié wǒ shì zài Zhāng Huá jiā guò de, zhè shì wǒ dì yī cì zài Zhōngguórén jiā lǐ guònián. Wǒmen yìqǐ fàng biānpào, tiē chūnlián, kàn chūnjié wǎnhuì, chī jiǎozi shénmede, kě yǒu yìsi le. Hāiyǒu, Chūn Jié shí qù nǎr dōu néng yùdào Zhōngguórén, shuō Hànyǔ de jīhuì hěn duō. Wǒ de Hànyǔ shuǐpíng yě tígāo de hěn kuài. Āndélǔ hěn xiànmù wǒ, míngnián tā yě xiǎng zài Běijīng guò Chūn Jié.

第33课

我一毕业就回国

Wǒ yí bìyè jiù huí guó

句子 | Sentences

177	I want to become an interpreter.	我想当翻译。 Wǒ xiǎng dāng fānyì.
178	I'll go back to my country as soon as I graduate.	我一毕业就回国。 Wǒ yí bìyè jiù huí guó.
179	Get married? I don't have a boyfriend yet.	结什么婚，我还没有男朋友呢。 Jié shénme hūn, wǒ hái méiyǒu nán péngyou ne.
180	Learning Chinese not only can help my life in China, but also can help me und-erstand the differences and similarities of English and Chinese.	学汉语不但可以帮助我在中国生 Xué Hànyǔ búdàn kěyǐ bāngzhù wǒ zài Zhōngguó 活，而且可以帮助我了解汉英两种 shēnghuó, érqiě kěyǐ bāngzhù wǒ liǎojiě hàn yīng 语言的异同。 liǎng zhǒng yǔyán de yìtóng.
181	Do you have any plans for this week-end?	这个周末你有什么安排吗？ Zhège zhōumò nǐ yǒu shénme ānpái ma?
182	You can take whoever you want.	你想带谁就带谁。 Nǐ xiǎng dài shuí jiù dài shuí.
183	Because this dance is for you.	因为这个舞会是为你准备的。 Yīnwèi zhège wǔhuì shì wèi nǐ zhǔnbèi de.

第一部分 | Part I

词语 | Words

1.	毕业	bìyè	to graduate	5.	留	liú	to stay
2.	结婚	jiéhūn	to get married	6.	不但…而且	búdàn…érqiě	not only... but also...
3.	男	nán	male, man				
4.	名	míng	(measure word for persons)	7.	生活	shēnghuó	to live

| 8. | 纠正 | jiūzhèng | to correct | 10. | 异同 | yìtóng | differences and similarities |
| 9. | 语言 | yǔyán | language | | | | |

课文一 | Text 1

(Scene: At night, Karen and Huimei are chatting in their room.)

卡伦： 惠美，你毕业以后打算干什么？
Kǎlún: Huìměi, nǐ bìyè yǐhòu dǎsuàn gànshénme?

惠美： 我想当翻译。
Huìměi: Wǒ xiǎng dāng fānyì.

卡伦： 那你会留在中国工作吗？
Kǎlún: Nà nǐ huì liú zài Zhōngguó gōngzuò ma?

惠美： 不，我一毕业就回国。
Huìměi: Bù, wǒ yí bìyè jiù huí guó.

卡伦： 回国结婚吗？
Kǎlún: Huí guó jiéhūn ma?

惠美： 结什么婚，我还没有男朋友呢。你有什么
Huìměi: Jié shénme hūn, wǒ hái méiyǒu nán péngyou ne. Nǐ yǒu shénme
打算？
dǎsuàn?

卡伦： 我想留在中国当一名英语老师。
Kǎlún: Wǒ xiǎng liú zài Zhōngguó dāng yì míng yīng yǔ lǎoshī.

惠美： 那你学汉语干什么？
Huìměi: Nà nǐ xué Hànyǔ gànshénme?

卡伦： 学汉语不但可以帮助我在中国生活，而且
Kǎlún: Xué Hànyǔ búdàn kěyǐ bāngzhù wǒ zài Zhōngguó shēnghuó, érqiě
可以帮助我了解汉英两种语言的异同。
kěyǐ bāngzhù wǒ liǎojiě hàn yīng liǎng zhǒng yǔyán de yìtóng.

惠美： 现在中国学生都学英语，但是发音不太好。
Huìměi: Xiànzài Zhōngguó xuésheng dōu xué yīng yǔ, dànshì fāyīn bú tài hǎo.

卡伦： 是啊，我想帮助他们纠正发音。
Kǎlún: Shì a, wǒ xiǎng bāngzhù tāmen jiūzhèng fāyīn.

惠美： 那以后我会常来中国看你的。
Huìměi: Nà yǐhòu wǒ huì cháng lái Zhōngguó kàn nǐ de.

卡伦： 只是为了看我吗？
Kǎlún: Zhǐshì wèile kàn wǒ ma?

惠美： 当然。
Huìměi: Dāngrán.

81

注释 | Notes

1. 一……就…… **As soon as / no sooner … than …**

It indicates that an action is followed immediately by another one. E.g.

(1) 我一下课就回家。

(2) 你一到北京就给我打个电话。

(3) 我一毕业就回国。

The former action is a condition or reason, and the latter the result. E.g.

(1) 中国人一听就知道你是外国人。

(2) 我一感冒就发烧。

2. 用"什么"的反问句 **Rhetorical questions with "什么"**

The interrogative pronoun "什么" can be used in a rhetorical question, which emphasizes the negation, complain and so on. E.g.

(1) 结什么婚，我还没有男朋友呢。

(2) 减什么肥呀，你一点儿也不胖。

(3) 都几点了，你喝什么酒啊？

3. 不但……而且…… **Not only … but also …**

"不但……而且……" joins the two clauses in a complex sentence to express the progressive relationship. When the two clauses share the same subject, "不但" is placed after the subject of the first clause. E.g.

(1) 学汉语不但可以帮助我在中国生活，而且可以帮助我了解中国学生的发音。

(2) 我不但会说汉语，而且还会说英语。

(3) 马克不但会游泳，而且游得不错。

When the two clauses have different subjects, "不但" is placed before the subject of the first clause. E.g.

(1) 不但我知道这件事，而且他也知道。

(2) 不但我会说汉语，而且我妈妈也会说汉语。

(3) 不但惠美感冒了，而且卡伦也感冒了。

句型操练 | Pattern Drills

1. 我一毕业就回国。

我一……就……。

下课/去食堂吃饭　　起床/洗澡　　做完作业/去跑步

2. 结什么婚，我还没有男朋友呢。

……什么……，……。

看电影/明天有考试

吃饭/作业还没有做呢

当导游/那么累

3. 学汉语**不但**可以帮助我在中国生活，**而且**可以帮助我了解汉英两种语言的异同。

……不但……而且……。

跑步
可以锻炼身体
可以减肥

在中国旅行
可以看风景
可以了解中国文化

过春节
可以放鞭炮
可以看春节晚会

趁热打铁 Strike While the Iron Is Hot

1. 你毕业以后打算干什么？
3. 那你会留在中国工作吗？
5. 我想……。

2. 我想……。
4. ……。你毕业以后有什么打算？
6. 毕业以后我们要常联系啊。

第二部分 | Part II

词 语 | Words

1.	安排	ānpái	arrangement	4.	放松	fàngsōng	to relax
2.	舞会	wǔhuì	ball, dance	5.	漂亮	piàoliang	pretty, beautiful
3.	紧张	jǐnzhāng	tense, intense	6.	因为	yīnwèi	because

课文二 | Text 2

(Scene: Mark and Zhang Hua are chatting at the entrance of the library.)

马克： 张华，这个周末你有什么安排吗？
Mǎkè： Zhāng Huá, zhège zhōumò nǐ yǒu shénme ānpái ma?

张华： 我想回家，我已经两个星期没回家了。
Zhāng Huá： Wǒ xiǎng huí jiā, wǒ yǐjīng liǎng ge xīngqī méi huí jiā le.

马克： 别回去了。星期六晚上我们宿舍有个舞会，
Mǎkè： Bié huíqù le. Xīngqīliù wǎnshang wǒmen sùshè yǒu ge wǔhuì,
你来参加好吗？
nǐ lái cānjiā hǎo ma?

张华： 谁过生日吗？
Zhāng Huá： Shuí guò shēngri ma?

马克： 不是。最近学习太紧张了，我们想放松放松。
Mǎkè： Bú shì. zuìjìn xuéxí tài jǐnzhāng le, wǒmen xiǎng fàngsōng fàngsōng.

张华： 可以带朋友吗？
Zhāng Huá： Kěyǐ dài péngyou ma?

马克： 当然可以，你想带谁就带谁，非常欢迎。
Mǎkè： Dāngrán kěyǐ, nǐ xiǎng dài shuí jiù dài shuí, fēicháng huānyíng.

张华： 好吧。那我周日再回家吧。
Zhāng Huá： Hǎo ba. Nà wǒ zhōurì zài huí jiā ba.

马克： 别忘了，要穿得漂漂亮亮的。
Mǎkè： Bié wàng le, yào chuān de piàopiāoliàngliàng de.

张华： 为什么？
Zhāng Huá： Wèishénme?

马克： 因为这个舞会是为你准备的。
Mǎkè: Yīnwèi zhège wǔhuì shì wèi nǐ zhǔnbèi de.

张华： 啊！
Zhāng Huá: ā!

注 释 | Notes

1. "谁"表示任指 "谁" indicating general denotation

"谁" indicates general denotation. The same interrogative pronoun "谁" is used in both of the two sequential clauses or phrases. Two "谁" are used in concert with each other, expressing the same person. And sometimes "就" is used to link the two clauses or phrases.

（1）谁想去谁就去。

（2）你想带谁就带谁。

（3）你想跟谁去就跟谁去。

2. 形容词重叠 Reduplication of adjectives

① In Chinese, some adjectives can be reduplicated. The reduplicated form for monosyllabic adjectives is AA, and it must be combined with "的" when modifying a noun, e.g.

A	AA	A+的+N
大	大大	大大的眼睛
黑	黑黑	黑黑的头发

② The reduplicated form for disyllabic adjectives is AABB, e.g.

AB	AABB
漂亮	漂漂亮亮
高兴	高高兴兴
干净	干干净净

③ The reduplication of adjectives can also be used after "V／adj.＋得", as a complement of state.

Subject (S)	Predicate (P)		
	V/Adj.	得	
我	忘	得	干干净净的。
他	穿	得	漂漂亮亮的。

85

句型操练 | Pattern Drills

1. 你想带谁就带谁。
   你想……就……。

看谁　　说什么　　去哪儿

2. 这个舞会是为你准备的。
   ……是为你准备的。

这几个菜　　这本词典　　这个房间

趁热打铁　Strike While the Iron Is Hot

1. 这个周末你有什么安排吗？

3. 星期六晚上我们有个舞会，
   你能来参加吗？

5. 不是。最近学习太紧张了，
   我们想……。

7. 当然可以，你想……就……。

2. 我想……。

4. 谁过生日吗？

6. 可以带朋友吗？

8. 好吧。

86

词语扩展 | Vocabulary Extension

婚　姻

结婚　　　　喜糖　　　　红双喜字　　　　交杯酒
jiéhūn　　　xǐtáng　　　hóng shuāngxǐ zì　　jiāobēijiǔ

听与说 | Listening and Speaking

一 看图回答问题 Look and Answer

他们在做什么？

二 双人练习 Pair Work

A	B
	我毕业以后想当一名导游。
	因为我喜欢旅行。
① 那你会留在中国工作吗？	是的。我打算留在北京工作。
	因为我有一个中国女朋友，我想跟她在一起。
	她现在还是个学生，明年毕业。
	她毕业以后想当一名汉语老师。

A	B
	这个周末我没什么安排。有什么事吗？
星期六我的一个中国朋友结婚，你跟我一起去参加他们的婚礼，好吗？	太好了。我正想看看中国人的婚礼呢。
② 我看过中国人的婚礼。	是吗？_____？
新郎和新娘都穿着红色的衣服。	我们国家新娘穿着_____，新郎穿_____。
中国人结婚时要吃喜糖，喝喜酒，可有意思了。	那我一定要去看看。

三 根据实际情况回答问题 Answer the Questions According to Actual Situations

1. 你毕业以后打算干什么？为什么？
2. 这个周末有什么安排吗？
3. 你参加过舞会吗？

读与写 | Reading and Writing

一 把括号中的词填入适当的位置 Put the Words into the Appropriate Places

1. 卡伦每天都穿 **A** 得 **B** 漂漂亮亮 **C**。　　　　　（的）
2. 我 **A** 打算一毕业 **B** 回国 **C**。　　　　　　　　（就）
3. 我还没有 **A** 女朋友，**B** 结 **C** 婚？　　　　　　（什么）
4. 你 **A** 想带谁来 **B** 带谁 **C** 来吧。　　　　　　（就）

二 选词填空 Fill in the Blanks

1. 他的房间收拾_____干干净净_____。　　（的，得）
2. 我一个星期_____锻炼了。　　　　　　　（没，不）
3. 我很长时间_____吃中国菜。　　　　　　（没，不）

三 填写并完成对话 Fill in the Blanks and Complete the Conversation

A：今天周末。_____？　（安排）

B：我想回家。_____。　（没……了）

A：别回去了。星期六晚上我们宿舍有个舞会。

_____？　（好吗）

B：可以带朋友吗？

A：非常欢迎。_____。　（谁……谁……）

B：好吧。那我周日再回家吧。

A：别忘了，要穿得漂漂亮亮的。

B：为什么？

A：_____。　（为……准备）

四 朗读短文 Read Aloud

　　惠美不想留在中国工作，她打算一毕业就回国。她想当翻译。卡伦想留在中国当英语老师。她学习汉语，是因为她觉得学汉语不但可以帮助她在中国生活，而且可以帮助她了解汉英两种语言的异同。现在中国学生大都学英语，但是发音不太好。卡伦想帮助他们纠正发音。

　　Huìměi bù xiǎng liú zài Zhōngguó gōngzuò, tā dǎsuàn yí bìyè jiù huí guó. Tā xiǎng dāng fānyì. Kǎlún xiǎng liú zài Zhōngguó dāng yīng yǔ lǎoshī. Tā xuéxí Hànyǔ, shì yīnwèi tā juéde xué Hànyǔ búdàn kěyǐ bāngzhù tā zài Zhōngguó shēnghuó, érqiě kěyǐ bāngzhù tā liǎojiě hàn yīng liǎng zhǒng yǔyán de yìtóng. Xiànzài Zhōngguó xuésheng dà dōu xué yīng yǔ, dànshì fāyīn bú tài hǎo. Kǎlún xiǎng bāngzhù tāmen jiūzhèng fāyīn.

249.99

第34课

机票买回来了

Jī piāo mǎi huílái le

句子 | Sentences

184	What do you say?	你说呢? Nǐ shuō ne?
185	You can book the ticket with a travel agency, on the Internet, or you can go to the airline ticket counter.	可以找旅行社预订,也可以上网预订, Kěyǐ zhǎo lǚxíngshè yùdìng, yě kěyǐ shàngwǎng yùdìng, 还可以直接去航空售票处买。 hái kěyǐ zhíjiē qù hángkōng shòu piào chù mǎi.
186	It's better to ask a travel agency to book the tickets.	还是找旅行社订票吧。 Háishi zhǎo lǚxíngshè dìng piào ba.
187	Today I bought an evening paper.	我今天买回来一份晚报。 Wǒ jīntiān mǎi huílái yí fèn wǎnbào.
188	The taxi is waiting downstairs.	出租车正在楼下等着呢。 Chūzūchē zhèngzài lóu xià děng zhe ne.
189	Please open the trunk and I'll put the luggage into it.	请打开后备箱,我把行李放进去。 Qǐng dǎkāi hòubèi xiāng, wǒ bǎ xíngli fàng jìnqù.
190	Is there enough time to catch the 4 pm flight?	下午四点的班机,来得及来不及? Xiàwǔ sì diǎn de bānjī, láidejí láibují?

第一部分 | Part I

词语 | Words

1.	火车	huǒchē	train	3.	比较	bǐjiào	comparatively, relatively
2.	只要	zhǐyào	as long as	4.	软卧	ruǎnwò	soft berths (in the train)

5.	价钱	jiàqián	price	11.	免费	miǎnfèi	free of charge
6.	机票	jī piào	air ticket	12.	份	fèn	(measure word for newspaper)
7.	旅行社	lǚxíngshè	travel agency				
8.	预订/订	yùdìng/dìng	to reserve, to book	13.	晚报	wǎnbào	evening paper
9.	直接	zhíjiē	directly	14.	家	jiā	(measure word for firms or stores)
10.	售票处	shòu piào chù	ticket counter				

专有名词 Proper Nouns

1.	杭州	Hāngzhōu	Hangzhou
2.	航空售票处	hángkōng shòu piào chù	Airline Ticket Counter

课文一 | Text 1

(Scene: Huimei and Karen are discussing whether they go traveling by air or by train.)

惠美： 下星期去杭州，咱们是坐飞机去还是坐
Huìměi: Xià xīngqī qù Hāngzhōu, zánmen shì zuò fēijī qù háishi zuò

火车去?
huǒchē qù?

卡伦： 你说呢? 坐飞机快，大概只要两个半小时，
Kǎlún: Nǐ shuō ne? Zuò fēijī kuài, dàgài zhǐyào liǎng ge bàn xiǎoshí,

坐火车要16个小时，但是坐飞机比较贵。
zuò huǒchē yào shíliù ge xiǎoshí, dànshì zuò fēijī bǐjiào guì.

惠美： 我听说现在买机票可以打折，打完折跟
Huìměi: Wǒ tīngshuō xiànzài mǎi jī piào kěyǐ dǎzhé, dǎ wán zhé gēn

火车的软卧票价钱差不多。
huǒchē de ruǎnwò piào jiàqián chàbuduō.

卡伦： 那还是坐飞机吧，怎么买机票比较方便?
Kǎlún: Nà hái shì zuò fēijī ba, zěnme mǎi jī piào bǐjiào fāngbiàn?

惠美： 可以找旅行社预订，也可以上网预订，
Huìměi: Kěyǐ zhǎo lǚxíngshè yùdìng, yě kěyǐ shàngwǎng yùdìng,

还可以直接去航空售票处买。
hái kěyǐ zhíjiē qù hángkōng shòu piào chù mǎi.

卡 伦: 还 是 找 旅 行 社 订 票 吧。不 知 道 他 们 能 不
Kǎlún: Hái shì zhǎo lǚxíngshè dìng piào ba. Bù zhīdào tāmen néng bu

能 把 机 票 送 过 来?
néng bǎ jī piào sòng guòlái?

惠 美: 没 问 题,可 以 免 费 送 票。
Huìměi: Méi wèntí, kěyǐ miǎnfèi sòng piào.

卡 伦: 我 今 天 买 回 来 一 份 晚 报。我 去 查 一 下 儿
Kǎlún: Wǒ jīntiān mǎi huílái yí fèn wǎnbào. Wǒ qù chá yíxiàr

旅 行 社 的 电 话。
lǚxíngshè de diànhuà.

惠 美: 别 查 了。我 知 道 一 家。电 话 号 码 是 62354508
Huìměi: Bié chá le. Wǒ zhīdào yì jiā. Diànhuà hàomǎ shì liùèrsānwǔ sìwǔ
língbā.

卡 伦: 好 的, 我 现 在 就 去 打 电 话 订 机 票。
Kǎlún: Hǎo de, wǒ xiànzài jiù qù dǎ diànhuà dìng jī piào.

注 释 | Notes

1. 复合趋向补语 Compound complements of direction

A verb denoting direction such as "上", "下", "进", "出", "回", "过" or "起" and "来" or "去" that follows it form a compound complement of direction used after other verbs.

Subject (S)	Predicate (P)	
	V	CCD
她	跑	下来了。
马克	走	进去了。

If the verb takes an object denoting a thing, the object can be placed either before or after "来" or "去".

Subject (S)	Predicate (P)		
	V	上/下/进/出/过/回/起＋来/去	O
我	买	回来	一份晚报。
他	拿	出来	一本书。

or　　*我卖出 一份晚报去*

Subject (S)	Predicate (P)			
	V	上/下/进/出/过/回/起	O	来/去
我	买	回	一份晚报	来。
他	拿	出	一本书	来。

If the verb takes an object of a place, the object must be placed before "来" or "去".

Subject (S)	Predicate (P)			
	V	上/下/进/出/过/回/起	O	来/去
马克	走	上	楼	去了。
他	跑	进	教室	来了。

2. "你说呢"

In spoken Chinese , we often use "你说呢" to ask for opinions of the other part of the conversation. E.g.

（1）　A：中午我们去食堂吃饭吧。你说呢?

　　　　B：我们自己做吧，别去外边吃了。

　　　　A：好。

（2）　A：我们怎么去?

　　　　B：你说呢? 坐飞机快，大概只要2个半小时，坐火车要16个小时，但是坐飞机比较贵。

3. 副词"还是" Adverb "还是"

The adverb "还是" is used here to express a choice after comparison and consideration. "还是" introduces an alternative.

（1）　A：我们坐飞机还是坐火车?

　　　　B：坐火车太慢，我们还是坐飞机吧。

（2）　A：我们今天去长城还是明天去?

　　　　B：今天有点儿累，我们还是明天去吧。

（3）　A：飞机票可以找旅行社预订，也可以上网预订，还可以直接去航空售票处买。

　　　　B：我们还是找旅行社订吧

句型操练 | Pattern Drills

1. 可以找旅行社预订，也可以上网预订，还可以直接去航空售票处买。

在那边,正在做饭的人是我妈妈
the lady cooking one there's mum.

可以……，也可以……，还可以……。

在教室学习

在宿舍学习

去图书馆学习

坐飞机去　　坐火车去

坐旅游车去

看电视　　看电影

上网

2. 我今天买回来一份晚报。
   我今天买回来……。

两斤苹果

一打航空信封

一双鞋

93

HW

趁热打铁 Strike While the Iron Is Hot

1. 下星期去……，咱们坐飞机去还是坐火车去？
3. 我听说现在买机票可以打折，打完折……。
5. 可以……，也可以……，还可以……。
7. 没问题，可以免费送票。

2. 你说呢？坐飞机……，坐火车……。
4. 那还是……吧。怎么买机票比较方便？
6. 还是……订票吧。他们能不能送过来？

第二部分 | Part II

词语 | Words

1.	叫	jiào	to call		7.	丢三落四	diū sān là sì	to be always forgetting things
2.	着	zhe	(modal particle indicating an action in progress)		8.	后备箱	hòubèi xiāng	trunk(at the back of a car)
3.	抓紧	zhuājǐn	to make the best use of (one's time)		9.	放	fàng	to put
					10.	班机	bānjī	flight
4.	行李	xíngli	luggage		11.	来得及／来不及	láidejí/láibují	there's still time/there's not enough time (to do sth.)
5.	赶快	gǎnkuài	at once, immediately					
6.	钱包	qiánbāo	wallet					

课文二 | Text 2

94

(Scene: Huimei and Karen are setting out, and they are putting their things in order in their room.)

惠 美：你叫的出租车到了吗？
Huìměi： Nǐ jiào de chūzūchē dào le ma?

卡 伦：我看看，已经到了，出租车正在楼下等着呢。
Kǎlún： Wǒ kànkan, yǐjīng dào le, chūzūchē zhèngzài lóu xià děng zhe ne.

惠 美：咱们抓紧时间吧。行李准备好了吗？
Huìměi： Zánmen zhuājǐn shíjiān ba. Xíngli zhǔnbèi hǎo le ma?

卡 伦：早就准备好了。
Kǎlún： Zǎo jiù zhǔnbèi hǎo le.

惠 美：护照和机票都带着呢吗？
Huìměi： Hùzhào hé jī piào dōu dài zhe ne ma?

卡 伦：带着呢。
Kǎlún： Dài zhe ne.

惠 美：咱们赶快下去吧。
Huìměi： Zánmen gǎnkuài xiàqù ba.

卡伦： 哎呀，我忘带钱包了，你先下去吧，在出租
Kǎlún： Āiyā, wǒ wàng dài qiánbāo le, nǐ xiān xiàqù ba, zài chūzūchē
车上等着我。
shàng děng zhe wǒ.

惠美： 唉，你怎么总是丢三落四的。
Huìměi： Ài, nǐ zěnme zǒng shì diū sān là sì de.

(Karen comes up to the car.)

卡伦： 师傅，不好意思，让您久等了。请打开后备
Kǎlún： Shīfu, bù hǎoyìsi, ràng nín jiǔ děng le. Qǐng dǎkāi hòubèi
箱，我把行李放进去。
xiāng, wǒ bǎ xíngli fàng jìnqù.

司机： 好的。
sījī： Hǎo de.

卡伦： 师傅，下午四点的班机，来得及来不及？
Kǎlún： Shīfu, xiàwǔ sì diǎn de bānjī, láidejí láibují?

司机： 没问题，来得及。
sījī： Méi wèntí, láidejí.

注释 | Notes

1. 动词＋着（1）　　Verb + 着 (1)

When a verb is followed by the aspect particle "着", it indicates that a state is continuous. E.g.

（1）她坐着。
（2）卡伦穿着一件咖啡色的毛衣。
（3）田字格本上写着他的名字。
（4）出租车在楼下等着呢。

The negation form is "没有＋V＋着". E.g.

（1）她没坐着。
（2）卡伦没穿着咖啡色的毛衣。
（3）出租车没在楼下等着。

The affirmative-negative question form is "V＋着……没有？". E.g.

（1）她坐着没有？
（2）卡伦穿着咖啡色毛衣没有？
（3）出租车在楼下等着没有？

The structure "V＋着" is often used with "正在"，"正"，"在"，"呢", indicating that an action is continuous.

（1）他们正看着电视呢。 他正唱着歌呢

（2） 雨正下着呢。

（3） 她正做着作业呢。

请把口zhao dai上

2. 把字句（2）Sentences with "把"（2）

The verb followed by a compound complement of direction is often used in the "把" sentence.

Subject (S)	Predicate (P)		
	把	O【the object of "把"】	V+CCD
	请把	机票	送过来。
	请把	书	放进去。
我	把	行李	放上去。

3. 来得及／来不及 There is still time/There's not enough time

"来得及" means there's still time, one is able to do something in time. And it can only be followed by verbs. And the adverbs "还"，"也" and "都" are often used before the verbs.

（1） 别着急，还来得及。

（2） 现在去还来得及吗？

现在还来得及去超市吗？

"来不及" is the negative form of "来得及"。 It indicates that time is too short, and it's too late to do something. It can only be followed by verbs.

（1） *zao gao* 糟糕，时间来不及了。

（2） A：现在去来得及来不及？

　　　B：来不及了。

（3） 我来不及吃早饭就去上课了。

句型操练 | Pattern Drills

Not 聊天着
Lee in sentence
→ 聊着天呢

1. 出租车正在楼下等着呢。

　　……正在……着呢。

卡伦／宿舍／等　　　马克和安德鲁／教室／聊天　　　张华／路上／走

2. 请打开后备箱，我把

　　行李放进去。

　　请打开……，我把……

　　放进去。

衣柜／衣服　　　　　书包／词典

趁热打铁 *Strike While the Iron Is Hot*

1. 你叫的出租车到了吗？
3. 咱们抓紧时间吧。行李准备好了吗？
5. 护照和机票都带着呢吗？
7. 咱们赶快下去吧。
9. 唉，你怎么总是……。

2. 已经到了，正在楼下等着呢。
4. 早就……。
6. 带着呢。
8. 哎呀，我忘带……了，你先下去吧，在出租车上等着我。

词语扩展 | **Vocabulary Extension**

火车票

卧铺票

wòpù piào

硬座票

yìng zuò piào

站台票

zhàntái piào

听与说 | **Listening and Speaking**

一　**看图回答问题** Look and Answer

他们打算买什么票？

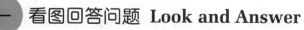

二 双人练习 Pair Work

A	B
下星期去上海，咱们坐飞机去还是坐火车去？	你说呢？坐飞机____，大概只要两个多小时。
	坐火车最快要12个小时。但是坐飞机___。
那我们还是坐火车吧。	硬座179块，硬卧327，软卧499。
虽然硬座最便宜，但是坐12个小时有点儿累。	是啊，咱们还是买卧铺吧。
	买硬卧吧。硬卧也挺舒服的。
	晚上七点多的火车，正好睡一觉，早上七点到。
咱们买火车票比较方便？	可以去火车站买，也可以去旅行社订票。
火车站太远了，咱们_____。	好的，现在就去吧。

①

留学生	出租车司机
师傅，我要去_____。	你的行李真不少。
是啊，请打开后备箱，我把行李放进去。	好的。我来帮你吧。
谢谢！	不客气，你先上车吧。
师傅，一个小时后的班机，_____？	没问题，来得及。你要回国吗？
对，放暑假了，我回国去看父母。	还回来吗？
两个月以后就回来继续学习。	对了，你的东西都带齐了吗？
什么东西？	护照和机票啊。
我看看，都在。谢谢你提醒我。	别客气，你坐好，我开快点儿，马上就到了。

②

三 根据实际情况回答问题 Answer the Questions According to Actual Situations

1. 你在网上订过机票吗？
2. 从你们国家到中国机票多少钱？一般打折吗？
3. 坐飞机一定要带什么东西？

读与写 | Reading and Writing

一 把括号中的词填入适当的位置 Put the Words into the Appropriate Places

1. 我带 A 护照 B 呢 C 。　　　　　　（着）
2. 卡伦已经走 A 下 B 去 C 了。　　　（楼）
3. 我们 A 现在 B 就 C 去看他吧。　　（还是）
4. 她 A 在楼下 B 等 C 着我。　　　　（没）

二 选词填空 Fill in the Blanks

1. 我没坐（　　　），我站（　　　）呢。　（了，着，过）
2. 我买回来（　　　）一份晚报。　　　　　（了，着，过）
3. 时间来（　　　）及了，快走吧。　　　　（没，不）

三 填写并完成对话 Fill in the Blanks and Complete the Conversation

A： 你叫的出租车到了吗？

B： 已经到了，_____？　（着）

A： 咱们抓紧时间吧。_____？　（准备）

B： 行李早就准备好了。

A： _____？　（着）

B： 护照和机票都带着呢。

A： _____？　（赶快）

B： 哎呀，我忘带钱包了，你先下去吧，

_____。　（着）

A： 唉，你怎么总是丢三落四的。

四 朗读短文 Read Aloud

　　我们下星期去杭州，是坐飞机去还是 坐 火 车 去好呢？坐飞机快，大概只要两个半小时，坐火车要 16 个小时，但是坐飞机比较贵。我朋友说，现在买机票可以打折，打完折跟火车的软卧票价钱差不多。我们打

99

算坐飞机去。但是怎么买机票比较方便呢？可以找旅行社预订，也可以上网预订，还可以直接去航空售票处买。我们还是找旅行社订票吧，因为他们可以免费送票。我们想让他们把机票送过来。

Wǒmen xià xīngqī qù Hángzhōu, shì zuò fēijī qù háishi zuò huǒchē qù hǎo ne? Zuò fēijī kuài, dàgài zhǐyào liǎng ge bàn xiǎoshí, zuò huǒchē yào shíliù ge xiǎoshí, dànshì zuò fēijī bǐjiào guì. Wǒ péngyou shuō, xiànzài mǎi jī piào kěyǐ dǎzhé, dǎ wán zhé gēn huǒchē de ruǎnwò piào jiàqián chàbuduō. Wǒmen dǎsuàn zuò fēijī qù. Dànshì zěnme mǎi jī piào bǐjiào fāngbiàn ne? Kěyǐ zhǎo lǚxíngshè yùdìng, yě kěyǐ shàngwǎng yùdìng, hái kěyǐ zhíjiē qù hángkōng shòu piào chù mǎi. Wǒmen hái shì zhǎo lǚxíngshè dìng piào ba, Yīnwéi tāmen kěyǐ miǎnfèi sòng piào. Wǒmen xiǎng ràng tāmen bǎ jī piào sòng guòlái.

把登机牌拿好

Bǎ dēng jī pái ná hǎo

句子 | Sentences

191	We've already been here for a long time.	我们都到了半天了。
		Wǒmen dōu dào le bàn tiān le.
192	Let's go and get the boarding cards and check in the luggage. We're boarding soon.	咱们去办登机牌和托运行李吧， Zánmen qù bàn dēngjīpái hé tuōyùn xínglǐ 马上就要登机了。 ba, mǎshàng jiùyào dēngjī le.
193	The transaction should be done one by one.	要一个一个地办。 Yào yí ge yí ge de bàn.
194	This is your boarding pass, please take it.	这是您的登机牌，请拿好。 Zhè shì nín de dēngjīpái, qǐng ná hǎo.
195	Will your cousin come to pick us up?	你表姐会来接咱们吗？ Nǐ biǎo jiě huì lái jiē zánmen ma?
196	She's wearing a red sweater.	她上身穿着一件红毛衣。 Tā shàngshēn chuān zhe yí jiàn hóng máoyī.
197	Let's go and ask.	我们过去问问吧。 Wǒmen guòqù wènwen ba.

101

第一部分 | Part I

词语 | Words

1.	半天	bàntiān half of the day, a long time	5.	托运	tuōyùn	to check (luggage)
2.	办(理)	bàn(lǐ) to handle, to go through	6.	牌	pái	card, pass
3.	登机	dēng jī to board (a plane)	7.	一个一个	yí ge yí ge	one after another
4.	手续	shǒuxù formality, procedure	8.	地	de	(structural particle)

课文一 | Text 1

(Scene: Mark and Andrew meet Huimei and Karen in the airport hall.)

卡伦:　安德鲁，你们到了多长时间了？
Kǎlún:　Āndélǔ, nǐmen dào le duō cháng shíjiān le?

安德鲁:　我们都到了半天了，你们怎么现在才来？
Āndélǔ:　Wǒmen dōu dào le bàntiān le, nǐmen zěnme xiànzài cái lái?

卡伦:　我们出发的时间有点儿晚，不好意思让你
Kǎlún:　Wǒmen chūfā de shíjiān yǒudiǎnr wǎn, bù hǎoyìsi ràng nǐmen
　　　们久等了。
　　　men jiǔ děng le.

安德鲁:　不要紧，咱们先去办理登机手续吧。
Āndélǔ:　Bù yàojǐn, zánmen xiān qù bànlǐ dēng jī shǒuxù ba.

卡伦:　好。我把行李托运一下儿。
Kǎlún:　Hǎo. Wǒ bǎ xíngli tuōyùn yíxiàr.

马克:　咱们去办登机牌和托运行李吧，马上就要
Mǎkè:　Zánmen qù bàn dēngjīpái hé tuōyùn xínglǐ ba, mǎshàng jiùyào
　　　登机了。
　　　dēngjī le.

(They're in the check-in office ...)

马克:　去杭州是在这里办登机牌吗？
Mǎkè:　Qù Hángzhōu shì zài zhèlǐ bàn dēngjīpái ma?

服务员:　是的。把您的机票和护照给我。
fúwùyuán:　Shì de. Bǎ nín de jī piào hé hùzhào gěi wǒ.

马克:　这是我们的机票和护照。
Mǎkè:　Zhè shì wǒmen de jī piào hé hùzhào.

服务员:　请稍等，要一个一个地办。
fúwùyuán:　Qǐng shāo děng, yào yí ge yí ge de bàn.

马克:　好的。
Mǎkè:　Hǎo de.

服务员:　这是您的登机牌，请拿好。
fúwùyuán:　Zhè shì nín de dēngjīpái, qǐng ná hǎo.

注释 | Notes

1. 半天　**A long time**
   It indicates a pretty long period of time.

102

（1）我们都到了半天了。

（2）我等你半天了。

（3）你都看了半天了，看懂了吗？

2. 结构助词 "地" Structural particle "地"

The structural particle "地" is attached to an adjective or adjective phrase, or a reduplicated form of nu-meral-measure word phrase, functioning as adverbial.

Subject(S)	Predicate (P)		
	Adverbial modifier	地	V + (O)
我们	努力	地	学习汉语。
生词	要一个一个	地	记。
他们	高兴	地	进来了。

3. 数量词重叠 Reduplication of numeral-measure word phrase

A numeral-measure word phrase can be reduplicated to function as adverbial of manner. Sometimes "地" can be added.

（1）我们要一个一个地办。

（2）书要一本一本地看。

（3）录音要一遍一遍地听。

句型操练 | Pattern Drills

103

1. 我们都**到**了半天了。

   我们都……了半天了。

吃   喝   唱

2. 要一个一个地**办**。

   要一个一个地……。

吃（小包子）   记（生词）   说（很多人抢着说）

3. 这是你的**登机牌**，请拿好。

   这是你的……，请拿好。

飞机票   咖啡   汉语书

趁热打铁　Strike While the Iron Is Hot

1. 咱们先去办理登记手续吧。
3. 请问，在这儿办登机牌和托运行李吗？
5. 这是我们的护照和机票。
7. 好的。

2. 好，我还要把行李托运一下儿。
4. 是的，请把你的……。
6. 别着急，要……。

第二部分 | Part II

词 语 | Words

1.	表姐	biǎo jiě	elder female cousin	6.	牛仔裤	niúzǎikù	jean
2.	上身	shàngshēn	the upper part of the body	7.	米色	mǐ sè	beige, cream-colored
3.	红	hóng	red	8.	风衣	fēngyī	wind breaker
4.	下身	xiàshēn	the lower part of the body	9.	手	shǒu	hand
				10.	杂志	zázhì	magazine
5.	条	tiáo	(measure word for pants, skirts, etc.)	11.	姑娘	gūniang	girl

课文二 | Text 2

(Scene: As soon as they get off the plane, Karen and Andrew start chatting.)

卡伦： 安德鲁，你表姐会来接咱们吗？
Kǎlún: Āndélǔ, nǐ biǎo jiě huì lái jiē zánmen ma?

安德鲁： 她今天有事，不能来。
Āndélǔ: Tā jīntiān yǒu shì, bù néng lái.

卡伦： 那怎么办？
Kǎlún: Nà zěnme bàn?

104

安德鲁：她请她的朋友来机场接咱们。

Āndélǔ: Tā qǐng tā de péngyou lái jīchǎng jiē zánmen.

卡伦：你认识你表姐的朋友吗?

Kǎlún: Nǐ rènshi nǐ biǎo jiě de péngyou ma?

安德鲁：不认识。

Āndélǔ: Bù rènshi.

卡伦：我们怎么找到她呢?

Kǎlún: Wǒmen zěnme zhǎo dào tā ne?

安德鲁：她上身穿着一件红毛衣，下身穿着一条

Āndélǔ: Tā shàngshēn chuān zhe yí jiàn hóng máoyī, xiàshēn chuān zhe

牛仔裤，外边穿着一件米色的风衣，手里

yì tiáo niúzǎikù, wàibian chuān zhe yí jiàn mǐ sè de fēngyī, shǒu

拿着一本杂志。

lǐ ná zhe yì běn zázhì.

卡伦：你看，那边站着举牌儿的那个姑娘是不是?

Kǎlún: Nǐ kàn, nàbian zhàn zhe jǔpáir de nàge gūniang shì bu shì?

安德鲁：应该是她。

Āndélǔ: Yīnggāi shì tā.

卡伦：我们过去问问吧。

Kǎlún: Wǒmen guòqù wènwen ba.

安德鲁：好的。

Āndélǔ: Hǎo de.

105

注释 | Notes

动词＋着（2）　Verb+着 (2)

Here, "verb+着" is used to show the manner of the other action.

（1）她站着举牌儿。

（2）他们在坐着聊天。

（3）我们每天走着去上课。

1. 她上身穿着一件红毛衣。
   她……着……。

下身穿／一条裙子　　脚上穿／一双红鞋　　上身穿／一件 T 恤

2. 我们过去问问吧。
   我们过去……吧。

看看　　　　　尝尝　　　　　试试

chen re d tie

趁热打铁　Strike While the Iron Is Hot

1. 你朋友会来接咱们吗？
3. 那怎么办？
5. 你认识他姐姐吗？
7. 她穿什么衣服？
9. 你看，那个姑娘是不是？

2. 他今天……，不能来。
4. 他请他姐姐来接咱们。
6. 不认识，但是朋友在电话里告诉我了。
8. 她上身……，下身……，手里……。

106

词语扩展 | Vocabulary Extension

机场设施

首都机场宾馆　　　　候机厅　　　　　登机口　　　　　安全检查门
Shǒudū jīchǎng Bīnguǎn　hòu jī tīng　　dēngjī kǒu　　ānquán jiǎnchá mén

听与说 | Listening and Speaking

一 看图回答问题 Look and Answer

他们在机场做什么?

二 双人练习 Pair Work

A	B
①	我都到了半天了,_____?
路上堵车,不好意思让你久等了。	不要紧,咱们先去办理登机手续吧。
好,我去把行李托运一下儿。	马上就要登机了,你去___,我去办登机牌。
知道了,我托运完行李以后去找你。	好,把你的护照和机票给我。

A	B
你朋友给来接咱们吗?	他今天 _____,不能来。
那怎么办?	他请他姐姐来机场接咱们。
② 你认识他姐姐吗?	
我们怎么找到她呢?	我朋友告诉我,_____。
你看,那边站着的那个姑娘是不是?	
咱们过去问问吧。	好的。

107

三 根据实际情况回答问题 Answer the Questions According to Actual Situations

1. 登机以前要办什么手续?
2. 今天你的老师是什么打扮?
3. 说一个同学的打扮,请大家猜猜他是谁?

读与写 | Reading and Writing

一 把括号中的词填入适当的位置 Put the Words into the Appropriate Places

1. 她毛衣外边穿 **A** 一件 **B** 风衣 **C** 。　　　　　　（着）
2. 请 **A** 大家 **B** 一个一个 **C** 办登机手续。　　　　（地）
3. **A** 我们等 **B** 你 **C** 了。　　　　　　　　　　　　（半天）

二 选词填空 Fill in the Blanks

1. 我在努力_____学习汉语。　　　　（的，地，得）
2. 你汉语学_____怎么样?　　　　　（的，地，得）
3. 他坐_____喝咖啡。　　　　　　　（着，了，过）

三 填写并完成对话 Fill in the Blanks and Complete the Conversation

> **A**：对不起。我们来得有点晚。_____?（多长）
>
> **B**：你们怎么现在才来?_____。（半天）
>
> **A**：我们出发的时间有点儿晚，_____。（久等）
>
> **B**：不要紧，咱们先去办理登记手续吧。
>
> **A**：对，_____。（托运）
>
> **A**：我们一起办吧。
>
> **B**：不行。_____。（一个一个）

四 朗读短文 Read Aloud

　　今天我们去杭州旅行。下午六点到杭州。安德鲁的表姐在那儿工作。但是，她今天有事，不能来接我们。她请她的朋友来机场接我们。安德鲁不认识他表姐的朋友，但是他表姐告诉他，她朋友上身穿着一件红毛衣，下身穿着一条牛仔裤，外边穿着一件米色的风衣，手里拿着一本杂志。我

们 一 看 就 能 找 到。

Jīntiān wǒmen qù Hángzhōu lǚxíng. Xiàwǔ liù diǎn dào Hángzhōu. Āndélǔ de biǎo jiě zài nǎr gōngzuò. Dànshì, tā jīntiān yǒu shì, bù néng lái jiē wǒmen. Tā qǐng tā de péngyou lái jīchǎng jiē wǒmen. Āndélǔ bú rènshi tā biǎo jiě de péngyou, dànshì tā biǎo jiě gàosù tā, tā péngyou shàngshēn chuān zhe yí jiàn hóng máoyī, xiàshēn chuān zhe yì tiáo niúzǎikù, wàibian chuān zhe yí jiàn mǐ sè de fēngyī, shǒu lǐ ná zhe yì běn zázhì. Wǒmen yí kàn jiù néng zhǎo dào.

第 36 课

上有天堂，
Shàng yǒu tiāntáng,

下有苏杭
xià yǒu Sū Háng

富庶 richr prosperous.
shu

句子 | Sentences

198 **Please, are there any vacant rooms?**
请问，有空房间吗？
Qǐngwèn, yǒu kōng fángjiān ma?

199 **What kind of room do you prefer?**
你们要什么样的房间？
Nǐmen yào shénmeyàng de fángjiān?

200 **Single room, 150 Yuan per day, and standard room, 200.**
单人间一天一百五，标准间一天两百。
Dān rén jiān yìtiān yìbǎi wǔ, biāozhǔn jiān yìtiān liǎngbǎi.

201 **If you check out before 12 noon, there is no extra fee. After 12 o'clock, you'll be charged an additional half-day's fee. And after 6 pm, it will be a full day's fee.**
中午十二点以前退房，不加钱。十二
Zhōngwǔ shí'èr diǎn yǐqián tuì fáng, bù jiā qián.
点以后退房加半天的住宿费。晚上六
Shí'èr diǎn yǐhòu tuì fáng jiā bàn tiān de zhùsù
点以后要算一天的住宿费。
fèi. Wǎnshang liù diǎn yǐhòu yào suàn yìtiān de zhùsù fèi.

202 **Great!**
好极了！
Hǎo jí le!

203 **It's been a feast for our eyes.**
我们真是大饱眼福了。
Wǒmen zhēn shì dà bǎo yǎnfú le.

204 **I really don't want to go back home.**
我都不想回去了。
Wǒ dōu bù xiǎng huíqù le.

第一部分 | Part I

词 语 | Words

(handwritten notes) also 入住   tui fang - check out

1.	空	kōng	vacant, empty		7.	登记	dēngjì	to check in
2.	标准	biāozhǔn	standard		8.	钥匙	yàoshi	key
3.	单人间	dān rén jiān	single room		9.	电梯	diàntī	elevator
4.	标准间	biāozhǔn jiān	standard room		10.	加	jiā	to add
5.	出示	chūshì	to show		11.	算	suàn	to calculate
6.	填	tián	to fill in		12.	住宿费	zhùsù fèi	accommodation fee

(handwritten notes) 车费 jiao tong fei   电费 electricity bill   学费

课 文 一 | Text 1

(Scene: At the hotel reception.)

马克：您好。请问，有空房间吗？
Mǎkè: Nín hǎo. Qǐngwèn, yǒu kōng fángjiān ma?

服务员：有。你们要什么样的房间？
fúwùyuán: Yǒu. Nǐmen yào shénmeyàng de fángjiān?

马克：都有什么标准的房间？
Mǎkè: Dōu yǒu shénme biāozhǔn de fángjiān?

服务员：单人间一天一百五，标准间一天两百。
fúwùyuán: Dān rén jiān yìtiān yìbǎi wǔ, biāozhǔn jiān yìtiān liǎngbǎi.

马克：我们要两个标准间。
Mǎkè: Wǒmen yào liǎng ge biāozhǔn jiān.

服务员：你们打算住几天？
fúwùyuán: Nǐmen dǎsuàn zhù jǐ tiān?

马克：三天。
Mǎkè: Sān tiān.

服务员：请出示你们的护照，我要填一下儿房间登记卡。
fúwùyuán: Qǐng chūshì nǐmen de hùzhào, wǒ yào tián yíxiàr fángjiān dēngjì kǎ.

马克：在这儿，给您。
Mǎkè: Zài zhèr, gěi nín.

你的房间号是多少

服务员： 你们的房间是916号和918号。这是房间
fúwùyuán： Nǐmen de fángjiān shì jiǔyāoliù hào hé jiǔyāobā hào. Zhè shì

钥匙。电梯在那边。
fángjiān yàoshi. Diàntī zài nàbian.

马克： 谢谢！对了，请问，最后一天我们应该几点
Mǎkè： Xièxie! Duì le, qǐngwèn, zuìhòu yìtiān wǒmen yīnggāi jǐ diǎn

退房？
tuì fáng?

服务员： 中午十二点以前退房，不加钱。十二点以
fúwùyuán： Zhōngwǔ shí'èr diǎn yǐqián tuì fáng, bù jiā qián. Shí'èr diǎn yǐhòu

后退房加半天的住宿费。晚上六点以后要
tuì fáng jiā bàntiān de zhùsù fèi. Wǎnshang liùdiǎn yǐhòu yào

算一天的住宿费。
suàn yìtiān de zhùsù fèi.

马克： 谢谢你。
Mǎkè： Xièxie nǐ.

注释 | Notes

112

"算"　**Calculate**

Its original meaning is "to calculate". It can be followed by double objects or something referring to money.

（1）你算一算一共多少钱？

（2）晚上六点以后要算一天的住宿费。

（3）这些东西算了我们二十块钱。

句型操练 | Pattern Drills

1. 请问，有空房间吗？
   请问，有……吗？

软卧火车票

纪念邮票

矿泉水

2. 你们要什么样的房间？

你们要什么样的……？

鞋　　　啤酒　　　窗帘

3. 单人间一天一百五，标准间一天两百。

…… +numeral+measure word …….

辅导／一小时　　翻译／一千字　　去香港旅游／五天

趁热打铁　Strike While the Iron Is Hot

1. 请问，有空房间吗？
3. 都有什么样的房间？
5. 我要一个单人间。
7. ……。
9. 给您。

2. 有。你要什么样的房间？
4. 单人间……，双人间……。
6. 你打算住几天？
8. 请出示您的护照。我要填一下……。
10. 填好了。您的房间是……，这是钥匙。

113

第二部分 | Part II

脸书 - facebook.

词 语 | Words

1.	暖和	nuǎnhuo	warm		**6.**	脸	liǎn	face
2.	气候	qìhòu	climate		**7.**	感觉	gǎnjué	to feel
3.	干燥	gānzào	dry		**8.**	…极了	…jí le	extremely, exceedingly
4.	风	fēng	wind		**9.**	风景	fēngjǐng	scenery
5.	吹	chuī	(of wind) to blow		**10.**	大饱眼福	dà bǎo yǎnfú	to feast one's eyes

贵极了＝太贵了

11.	大饱口福	dà bǎo kǒufú	to feast one's stomach	**14.**	上有天堂，下有苏杭
					shàng yǒu tiāntáng, xià yǒu Sū Háng
12.	好吃	hǎo chī	delicious		up above there is Paradise, down here
13.	天堂	tiāntáng	heaven		there are Suzhou and Hangzhou

专有名词 Proper Nouns

1.	西湖醋鱼	xīhú cùyú	Westlake vinegar fish
2.	龙井虾仁	lóngjǐng xiārén	Longjing shelled shrimps
3.	小笼包子	xiǎo lóng bāozi	steamed meat-filled buns

课文二 | Text 2

(Scene: Mark and Andrew are chatting while taking a walk.)

马克:　杭州比北京暖和多了。
Mǎkè:　Hángzhōu bǐ Běijīng nuǎnhuo duō le.

安德鲁:　气候也没北京那么干燥。
Āndélǔ:　Qìhòu yě méi Běijīng nàme gānzào.

马克:　风也小得多。风吹在脸上，很舒服。
Mǎkè:　Fēng yě xiǎo de duō. Fēng chuī zài liǎn shàng, hěn shūfu.

安德鲁:　这几天在杭州感觉怎么样?
Āndélǔ:　Zhè jǐ tiān zài Hángzhōu gǎnjué zěnmeyàng?

马克:　好极了，真是"上有天堂，下有苏杭"，风景太
Mǎkè:　Hǎo jí le, zhēnshi "shàng yǒu tiāntáng, xià yǒu Sū Háng", fēngjǐng
　　　美了。
　　　tài měi le.

安德鲁:　是啊，杭州不但风景美，而且杭州的姑娘
Āndélǔ:　Shì a, Hángzhōu búdàn fēngjǐng měi, érqiě Hángzhōu de gūniang
　　　也很漂亮。
　　　yě hěn piàoliang.

马克:　我们真是大饱眼福了。
Mǎkè:　Wǒmen zhēn shì dà bǎo yǎnfú le.

安德鲁:　你不但能大饱眼福，也能大饱口福。杭州
Āndélǔ:　Nǐ búdàn néng dà bǎo yǎnfú, yě néng dà bǎo kǒufú. Hángzhōu
　　　有很多好吃的，像西湖醋鱼、龙井虾仁、
　　　yǒu hěn duō hǎo chī de, xiàng xīhú cùyú, lóngjǐng xiārén,

小笼包子什么的，都很有名。
xiǎolóng bāozi shénmede, dōu hěn yǒumíng.

马克：今天晚上咱们去尝尝吧。
Mǎkè: Jīntiān wǎnshang zánmen qù chángchang ba.

安德鲁：别着急。今天晚上我表姐请客，想吃什么
Āndélǔ: Bié zháojí. Jīntiān wǎnshang wǒ biǎojiě qǐngkè, xiǎng chī shénme
随便点。
suíbiàn diǎn.

马克：真是天堂一样的生活。我都不想回去了。
Mǎkè: Zhēnshi tiāntáng yíyàng de shēnghuó. Wǒ dōu bù xiǎng huíqù le.

注释 | Notes

1. 形/动＋极了　**Adj. / V. + 极了**

"极了" is put after an adjective or a verb to show a high degree. It is often used in spoken Chinese.

（1）感觉好极了。

（2）我最近忙极了。

（3）这次考试我考得不错，我高兴极了。

2. "大饱眼福" / "大饱口福"　**To feast one's eyes/ to feast one's stomach**

"大饱眼福" means something makes your eyes feel extremely content; "大饱口福" means that some
thing makes your stomach feel so satisfied. Mostly, it means one has eaten some very delicious food.

（1）看到杭州美丽的风景，我们真是大饱眼福了。

（2）这里的姑娘都这么漂亮，真是大饱眼福。

（3）杭州有很多好吃的菜，我们可以大饱口福了。

3. "了" 表示变化　**Modal particle "了" indicating a change**

The modal particle "了" is used at the end of a sentence to indicate a change.

例 句	句子的意思
我累了。	刚才我不累。
我已经工作了。	以前我上大学，没工作。
我想回国了。	以前我不想回国。

"不/没(有)……了" can also indicate a change.

115

例　句	句子的意思
我不忙了。	刚才我比较忙。
我没钱了。	我以前有钱，现在花完了。
我不想回国了。	以前我想回国。

句型操练 | Pattern Drills

1. 好**极**了。
   ……极了。

好吃　　　便宜　　　漂亮

2. 我都不想**回**去了。
   我都不想……了。

学　　　比赛　　　上课

趁热打铁　Strike While the Iron Is Hot

1. ……比北京……多了。
3. ……也……得多。
5. 好极了，风景太美了。
7. 我们真是大饱眼福了。
9. 是吗？这儿有什么好吃的？

2. ……也没北京那么……。
4. 这几天在……感觉怎么样？
6. 是啊，不但……，而且……。
8. 你不但能大饱眼福，也能大饱口福。
10. 有很多好吃的菜，像……什么的。

116

词语扩展 | Vocabulary Extension

宾馆设施

| 大堂 | 前台 | 餐厅 | 游泳池 |
| dàtáng | qiántái | cāntīng | yóuyǒngchí |

听与说 | Listening and Speaking

一 看图回答问题 Look and Answer

他们在宾馆里做什么？

  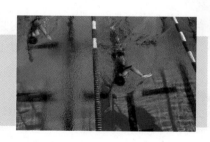

二 双人练习 Pair Work

	留学生	宾馆前台服务员
①		有。你要什么样的房间？
	都有什么样的房间？	单人间一天120，双人间一天200。
	我要一个单人间。	
	我打算住两天。	请出示您的_____，我要填一下_____。
	给您。	填好了。您的房间是216号。这是房间钥匙。
	谢谢。对了，请问，后天我应该几点退房？	_____退房，不加钱。

A	B
杭州比北京暖和多了。	气候也没有北京＿＿＿＿＿＿＿＿＿＿＿＿。
风也小得多。风吹在脸上，很舒服。	这几天在杭州感觉怎么样？
好极了，真是"＿＿＿＿＿＿＿＿"。	是啊，杭州不但风景美，杭州的姑娘也很漂亮。
我真是大饱眼福了。	你不但能大饱眼福，也能＿＿＿＿＿＿＿＿。
是吗？有什么好吃的菜？	杭州有很多好吃的菜，像西湖醋鱼、小笼包子什么的。
今天晚上咱们＿＿＿＿＿＿＿＿。	别着急。今天晚上我朋友请客，想吃什么随便点。

（②）

三 根据实际情况回答问题 Answer the Questions According to Actual Situations

1. 什么是标准间？
2. 你去过中国的哪些城市？
3. 你觉得北京有什么好吃的菜？

读与写 | Reading and Writing

一 把括号中的词填入适当的位置 Put the Words into the Appropriate Places

1. 杭州有很多好吃的菜 A ，我们可以 B 大饱口福 C 。　　　（了）
2. 在中国 A 学习汉语的感觉 B 好 C 。　　　（极了）
3. 晚上六点以后 A 要 B 一天的 C 住宿费。　　　（算）

二 选词填空 Fill in the Blanks

1. 从今天开始，我 ＿＿＿＿＿ 想吃中药了。　　　（不，没）
2. 我累＿＿＿＿＿，不想出去＿＿＿＿＿＿＿＿。　　　（了，呢，吧）
3. 看样子她高兴＿＿＿＿＿＿＿＿。　　　（极了，挺）

三 填写并完成对话 Fill in the Blanks and Complete the Conversation

A：请问，＿＿＿＿＿＿＿＿＿＿＿＿＿＿＿＿＿＿＿？　　　（空）
B：有。你们要什么样的房间？
A：＿＿＿＿＿＿＿＿＿＿＿＿＿＿＿＿＿＿＿＿＿？　　　（标准）
B：单人间一天一百五，标准间一天两百。
A：我们要两个标准间。
B：＿＿＿＿＿＿＿＿＿＿＿＿＿＿＿＿＿＿＿＿＿？　　　（打算）

A：我们打算住三天。

B：请出示你们的护照。_____。 （填）

A：在这儿，给您。

B：你们的房间是916号和918号。这是房间钥匙。电梯在那边。

A：谢谢！对了，请问，最后一天我们应该几点退房？

B：中午12点以前退房，不加钱。12点以后退房加半天的住宿费。

六点以后_____。 （算）

四 朗读短文 Read Aloud

　　杭州比北京暖和多了，气候也没有北京那么干燥。风也小得多，风吹在脸上，很舒服。这几天在杭州感觉好极了，真是"上有天堂，下有苏杭"，风景太美了。杭州不但风景美，而且杭州的姑娘也很漂亮。我们真是大饱眼福了。杭州也有很多好吃的，像西湖醋鱼、龙井虾仁、小笼包子什么的，都很有名。我们这几天过得真是天堂一样的生活。我们都不想回去了。

　　Hángzhōu bǐ Běijīng nuǎnhuo duō le, qìhòu yě méiyǒu Běijīng nàme gānzào. Fēng yě xiǎo de duō, fēng chuī zài liǎn shàng, hěn shūfu. Zhè jǐ tiān zài Hángzhōu gǎnjué hǎo jí le, zhēnshi "shàng yǒu tiāntáng, xià yǒu Sū Háng", fēngjǐng tài měi le. Hángzhōu búdàn fēngjǐng měi, érqiě Hángzhōu de gūniang yě hěn piàoliang. Wǒmen zhēn shì dà bǎo yǎnfú le. Hángzhōu yě yǒu hěn duō hǎo chī de, xiàng xīhú cùyú, lóng jǐng xiārén, xiǎolóng bāozi shénmede, dōu hěn yǒumíng. Wǒmen zhè jǐ tiān guò de zhēn shì tiāntáng yíyàng de shēnghuó. Wǒmen dōu bù xiǎng huíqù le.

能帮我们照张相吗
Néng bāng wǒmen zhào zhāng xiàng ma

句子 | Sentences

205	We've finally climbed the Great Wall.	我们终于登上长城了。 Wǒmen zhōngyú dēng shàng Chángchéng le.
206	Let's take a picture.	咱们俩照张合影吧。 Zánmen liǎ zhào zhāng héyǐng ba.
207	Here comes somebody, let's ask him for a favor.	那边过来一个小伙子，就请他帮个忙吧。 Nàbiān guòlái yí ge xiǎohuǒzi, jiù qǐng tā bāng ge máng ba.
208	Sir, can you do us a favor and take a picture for us?	劳驾，能帮我们照张相吗？ Láojià, néng bāng wǒmen zhào zhāng xiàng ma?
209	Have you developed the pictures we took on the Great Wall.	咱们在长城照的照片洗出来了没有？ Zánmen zài Chángchéng zhào de zhàopiàn xǐ chūlái le méiyǒu?
210	I'll print the pictures that look good.	哪张照得好，就洗哪张。 Nǎ zhāng zhào de hǎo, jiù xǐ nǎ zhāng.
211	I'll tell you my email address, and you can write it down.	我把邮箱地址告诉你，你记下来吧。 Wǒ bǎ yóuxiāng dìzhǐ gàosù nǐ, nǐ jì xiàlái ba.

第一部分 | Part I

词语 | Words

1.	终于	zhōngyú	at (long) last, finally	3.	美	měi	beautiful
2.	登	dēng	to climb	4.	俗话	súhuà	proverb

120

5.	不到长城 非好汉	bú dào Chángchéng fēi hǎohàn if you fail to reach the Great Wall you are not a man	10.	笑	xiào	to smile, to laugh
			11.	闭	bì	to close (eyes)
			12.	合影	héyǐng	group photo
6.	好汉	hǎohàn true man, hero	13.	小伙子	xiǎohuǒzi	young fellow
7.	照相	zhàoxiàng to take a picture	14.	帮忙	bāngmáng	to help
8.	数码	shǔmǎ digital	15.	劳驾	láojià	excuse me
9.	相机	xiàngjī camera	16.	感谢	gǎnxiè	to thank

专有名词 Proper Nouns

长城	Chángchéng	the Great Wall

课文一 | Text 1

(Scene: Mark and Zhang Hua are on the Great Wall.)

马克：我们终于登上长城了。从这儿往下看，
Mǎkè：Wǒmen zhōngyú dēng shàng Chángchéng le. Cóng zhèr wǎng
真美呀！
xià kàn, zhēn měi ya!

张华：俗话说"不到长城非好汉"！你也是好汉了。
Zhāng Huá：Súhuà shuō "bú dào Chángchéng fēi hǎohàn"! Nǐ yě shì hǎohàn le.

马克：我一定要多照几张相。
Mǎkè：Wǒ yídìng yào duō zhào jǐ zhāng xiàng.

张华：你带数码相机了吗？
Zhāng Huá：Nǐ dài shǔmǎ xiàngjī le ma?

马克：带了。我先给你照几张。
Mǎkè：Dài le. Wǒ xiān gěi nǐ zhào jǐ zhāng.

张华：还是我给你照吧。把相机给我。笑一笑，好
Zhāng Huá：Háishi wǒ gěi nǐ zhào ba. Bǎ xiàngjī gěi wǒ. Xiào yi xiào, hǎo le.
了。你看一下儿，怎么样？
Nǐ kàn yíxiàr, zěnmeyàng?

马克：我的眼睛闭上了。你再给我照一张吧。
Mǎkè：Wǒ de yǎnjīng bì shang le. Nǐ zài gěi wǒ zhào yì zhāng ba.

张华：没问题。你看这几张照得怎么样。
Zhāng Huá：Méi wèntí. Nǐ kàn zhè jǐ zhāng zhào de zěnmeyàng.

121

马克:　照得好极了。咱们俩照张合影吧。
Mǎkè:　Zhào de hǎo jí le. Zánmen liǎ zhào zhāng héyǐng ba.

张华:　好啊！那边过来一个小伙子，就请他帮个
Zhāng Huá:　Hǎo a! Nàbiān guòlái yí ge xiǎohuǒzi, jiù qǐng tā bāng ge

忙吧。
máng ba.

马克:　劳驾，能帮我们照张相吗?
Mǎkè:　Láojià, néng bāng wǒmen zhào zhāng xiàng ma?

小伙子:　好的。准备好了吗? 笑一个，好啦!
xiǎohuǒzi:　Hǎo de. Zhǔnbèi hǎo le ma? Xiào yí ge, Hǎo la!

张华:　太感谢你了。
Zhāng Huá:　Tài gǎnxiè nǐ le.

注释 | Notes

1. "上" 作结果补语　"上" as a complement of result

When used as a complement of result, "上" has many meanings. In this lesson, it expresses that a person or thing moves with the action, from the lower position to the higher.

（1）我们登上了长城。
（2）我们跑上十层楼。
（3）他用了一个小时才爬上山。

Sometimes, it is extended to indicate the achievement of a goal.

（1）他住上了一套新房子。
（2）我妹妹今年考上了大学。
（3）他开上了一辆新车。

2. 存现句　Sentences of existence, emergence or disappearance

This kind of sentence is to indicate the existence, emergence or disappearance of a person or thing.

Subject (S) (Location)	Predicate (P)	
	V + compliment/particle	Object (person/thing)
那边	过来	一个小伙子。
楼上	走下来	一个人。
宿舍前边	停着	很多自行车。
医院	死了	一个病人。

Note: In such a sentence, the object is indefinite. Therefore we cannot say "那边过来马克。".

句型操练 | Pattern Drills

1. 我们终于登上长城了。
我们终于……上……了。

登/山

住/新房

考/大学

2. 那边过来一个小伙子。
那边过来……。

一位老人

一辆出租车

一个服务员

3. 劳驾，能帮我们照张相吗？
劳驾，能帮……吗？

我拿一下儿

我买晚报

我寄封信

123

趁热打铁　Strike While the Iron Is Hot
magnificent
zhuangguan

1. 我们终于登上长城了。从这儿往下看，真美！ 真美
3. 你带数码相机了吗？ piaoliang jile
5. 我看看，哎呀，眼睛闭上了。
7. 照得好极了。咱们照张合影吧。

不到长城非好汉

2. 俗话说"……"！你也是好汉了。
4. 带了，我先给你照几张。笑一笑，你看怎么样？
6. 没关系，我再给你照一张。
8. 好。那边过来……，请他帮咱们照吧。
一个小伙子

第二部分 | Part II

词 语 | Words

1.	洗	xǐ	to develop (a film), to print (a photo)	6.	地址	dìzhǐ	address
				7.	记	jì	to write
2.	出来	chūlái	to come out	8.	下来	xiàlái	(to write) down
3.	发	fā	to send (by post, email)	9.	过来	guòlái	to come over
4.	邮箱	yóuxiāng	mailbox	10.	过去	guòqù	to go over
5.	必	bì	necessarily	11.	收	shōu	to receive

课文二 | Text 2

(Scene: Zhang Hua meets Mark on her way.)

124

张 华： 马克，咱们在长城照的照片洗出来了
Zhāng Huá： Mǎkè, zánmen zài Chángchéng zhào de zhàopiàn xǐ chūlái le

没有？
méiyǒu?

马 克： 还没洗出来呢。我最近太忙了，没有时间
Mǎkè： Hái méi xǐ chūlái ne. Wǒ zuìjìn tài máng le, méiyǒu shíjiān

去洗。
qù xǐ.

张 华： 那你把照片都发到我的邮箱里，让我先
Zhāng Huá： Nà nǐ bǎ zhàopiàn dōu fā dào wǒ de yóuxiāng lǐ, ràng wǒ xiān

看看吧。
kànkan ba.

马 克： 好的。我觉得数码照片不必张张都洗
Mǎkè： Hǎo de. Wǒ juéde shùmǎ zhàopiàn búbì zhāng zhāng dōu xǐ

出来，哪张照得好，就洗哪张。
chūlái, nǎ zhāng zhào de hǎo, jiù xǐ nǎ zhāng.

张 华： 我把邮箱地址告诉你，你记下来吧。
Zhāng Huá： Wǒ bǎ yóuxiāng dìzhǐ gàosù nǐ, nǐ jì xiàlái ba.

马 克： 好 的。 我 马 上 发 给 你。
Mǎkè: Hǎo de. Wǒ mǎshàng fā gěi nǐ.

(Zhang Hua calls Mark in the evening.)

张 华： 马 克，你 把 照 片 给 我 发 过 来 了 吗？
Zhāng Huá: Mǎkè, nǐ bǎ zhàopiàn gěi wǒ fā guòlái le ma?

马 克： 发 过 去 了。 你 还 没 收 到 吗？
Mǎkè: Fā guòqù le. Nǐ hái méi shōu dào ma?

张 华： 没 有 啊。是 不 是 你 把 邮 箱 地 址 记 错 了？
Zhāng Huá: Méiyǒu a. Shì bu shì nǐ bǎ yóuxiāng dìzhǐ jì cuò le?

马 克： 不 会 吧。 你 的 邮 箱 地 址 不 是 zhanghua @ 163. com
Mǎkè: Bú huì ba. Nǐ de yóuxiāng dìzhǐ bú shì zhanghua @ 163. com
吗？
ma?

张 华： 对 呀。 我 再 等 等 吧。
Zhāng Huá: Duì ya. Wǒ zài děngdeng ba.

注 释 | Notes

1. "V＋出来" 的引申意义　**The extended meaning of "V＋出来"**

The structure of "V+出来" indicates that an action has caused the appearance or emergence of some result. E.g.

(1) 你看出来她是谁了吗？ *can you tell who she is?*
(2) 照片洗出来了没有？
(3) 我想出来了一个好方法。

2. "V＋下来" 的引申意义　**The extended meaning of "V+下来"**

The structure of "V+下来" indicates that an action makes something fixed in some place. E.g.

(1) 我的电话号码你记下来了吗？
(2) 这句话我已经写下来了。
(3) 这儿的风景太美了，快把它照下来吧。

3. "哪" 表示任指　**"哪" indicating general denotation**

Two identical interrogative pronouns "哪" are used in two clauses or phrases and in concert with each other, referring to the same person, the same thing, and the two clauses or phrases are sometimes linked by "就" in the sentence.

(1) 哪张照得好，就洗哪张。

125

（2）你哪天有时间，我们就哪天去长城。

（3）哪本书有意思，我就买哪本。

句型操练 | Pattern Drills

1. 咱们在长城照的照片洗出来了没有？

……出来了没有？

这道题	办法	这是什么茶
做	想	喝

2. 哪张照得好，就洗哪张。

哪……，就……哪……。

近	便宜	风景美
去/吃	去/买	去/玩

趁热打铁　Strike While the Iron Is Hot

1. 照片洗出来了没有？

3. 你把照片发到……

5. 我把邮箱地址告诉你，……。

2. 还没出来呢。

4. 好的，你觉得哪张照得好，就洗哪张。

6. 好，我马上发给你。

词语扩展 | Vocabulary Extension

照 相

闪光灯
shǎnguāngdēng

快门
kuàimén

镜头
jìngtóu

光圈
guāngquān

126

照 片

| 艺术照 | 婚纱照 | 毕业纪念照 | 风景照 |
| yìshù zhào | hūnshā zhào | bìyè jìniàn zhào | fēngjǐng zhào |

听与说 | Listening and Speaking

一 看图回答问题 Look and Answer

他们照的是什么照？

guang gai/
yishu zhao

(照一
团体照
合影

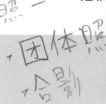   

二 双人练习 Pair Work

很多人说 *的*

great man/

127

	A	B
①	我们终于登上长城了。	俗话说"＿＿＿＿＿"！我们算是好汉了。
	我一定要多照几张相。	你带数码相机了没有？
	带了。我先给你照几张。	还是~~先给你照~~吧。把相机给我，笑一笑，好了。
	我看看。哎呀，怎么不清楚呢？	可能是我按快门的时候手动了。没关系，再来一张。
	这次可别照坏了啊！	没问题，放心吧。你看一下，怎么样？
	照得好极了。咱们俩 合影 吧。	好。那边过来一个小伙子，请他给咱们俩照吧。
	A 一起照	B *young man.*
②	咱们在长城照的数码照片洗出来了没有？	还没洗出来。我最近没有时间去洗。
	那你把照片发到我的邮箱里吧。	好的。你觉得哪张照得好，就洗哪张。
	我把邮箱地址告诉你，你＿＿吧。	好。我马上发给你。
	我收到以后把照片洗出来要寄给妈妈。	你妈妈有邮箱地址吗？
		那你发给你妈妈不是更快吗？
	也对，那你一发给我，我就转发给她。	就是，这个办法又快又省钱。

三　根据实际情况回答问题 Answer the Questions According to Actual Situations

　　1. 你去过长城吗?
　　2. 你想请别人给你照相的时候,应该怎么说?
　　3. 你的电子邮箱地址是什么?

读与写 | Reading and Writing

一　把括号中的词填入适当的位置 Put the Words into the Appropriate Places

　　1. **A** 你喜欢 **B** 哪张, **C** 买哪张。　　　　（就）
　　2. 我们马上就要 **A** 登 **B** 长城 **C** 了。　　　（上）
　　3. 前边 **A** 一个 **B** 年轻人 **C**。　　　　　（过来）

二　选词填空 Fill in the Blanks

　　1. 快把他的邮箱地址记_____。　　　　　（出来,下来）
　　2. 你们的照片都洗_____了。　　　　（出来,下来）
　　3. 我们_____天有空儿,_____天去逛街。　（哪,哪儿）

三　填写并完成对话 Fill in the Blanks and Complete the Conversations

①
A：咱们俩照张合影吧。
B：请谁给我们照呢? _____?　　（过来）
　　就请他帮个忙吧。
A：_____!　　（劳驾）
C：好的。_____。好啦。　　（笑）
A：太感谢你了。

②
A：_____。　　（把）
　　我想看看我们的照片。
B：你把邮箱地址告诉我。
A：我的邮箱地址是 **Zhanghua@163.com**。_____?
　　　　　　　　　　　　　　　　　　　　　（下来）
B：记下来了。_____。　　（过去）

四 朗读短文 Read Aloud

　　上星期我和张华一起去长城了。我们终于登上长城了。从长城上边往下看，风景真美呀！俗话说"不到长城非好汉"！我和张华也都是好汉了。我们用数码相机照了很多相。可是，我还没把这些照片拿去洗，因为我最近太忙了，没有时间。我想把照片都发到张华的邮箱里，让她先看看。我觉得数码照片不必张张都洗出来，哪张照得好，就洗哪张。这就是数码相机的好处。

　　Shàng xīngqī wǒ hé Zhāng Huá yìqǐ qù Chángchéng le. Wǒmen zhōngyú dēng shàng Chángchéng le. Cóng Chángchéng shàngbian wǎng xià kàn, fēngjǐng zhēn měi ya! Súhuà shuō "bú dào Chángchéng fēi hǎohàn"! Wǒ hé Zhāng Huá yě dōu shì hǎohàn le. Wǒmen yòng shùmǎ xiàngjī zhào le hěn duō xiàng. Kěshì, wǒ hái méi bǎ zhèxiē zhàopiàn ná qù xǐ, yīnwèi wǒ zuìjìn tài máng le, méiyǒu shíjiān. Wǒ xiǎng bǎ zhàopiàn dōu fā dào Zhāng Huá de yóuxiāng lǐ, ràng tā xiān kànkan. Wǒ juéde shùmǎ zhàopiàn búbì zhāng zhāng dōu xǐ chūlái, nǎ zhāng zhào de hǎo, jiù xǐ nǎ zhāng. Zhè jiù shì shùmǎ xiàngjī de hǎochù.

我 的 包 落 在
Wǒ de bāo là zài
出 租 车 上 了
chūzūchē shàng le

句子 | Sentences

212	My bag was left in a taxi of your company.	我 的 包 落 在 你 们 公 司 的 出 租 车 上 了。 Wǒ de bāo là zài nǐmen gōngsī de chūzūchē shàng le.
213	Sorry, I can't hear what you said clearly. Can you speak slower?	对 不 起，你 说 的 话 我 听 不 清 楚，你 能 Duìbuqǐ, nǐ shuō de huà wǒ tīng bu qīngchǔ, nǐ 不 能 说 得 慢 一 点 儿。 néng bu néng shuō de màn yìdiǎnr.
214	Take a look at the receipt. It shows the registration number of the car.	你 把 小 票 拿 出 来 看 看，上 面 有 车 号。 Nǐ bǎ xiǎo piào ná chūlái kànkan, shàngmiàn yǒu chē hào.
215	We'll check for you and tell you as soon as we have any news.	我 们 帮 你 查 查，一 有 消 息 马 上 通 知 你。 Wǒmen bāng nǐ cháchá, yì yǒu xiāoxi mǎshàng tōngzhī nǐ.
216	The taxi driver has returned it to me just now.	刚 才 出 租 车 公 司 的 师 傅 已 经 给 我 送 Gāngcái chūzūchē gōngsī de shīfu yǐjīng gěi wǒ 来 了。 sòng lái le.
217	I'm so worried that I don't know how to deal with it.	我 急 得 不 知 道 怎 么 办 才 好。 Wǒ jí de bù zhīdào zěnme bàn cái hǎo.
218	You should be more careful in the future.	以 后 可 要 小 心 了。 Yǐhòu kě yào xiǎoxīn le.
219	The taxi driver said that it was what he should have done.	哪 儿 啊，司 机 师 傅 说 那 是 他 应 该 做 的。 Nǎr a, sījī shīfu shuō nà shì tā yīnggāi zuò de.

百货公司-depart store *(handwritten note)*

第一部分 | Part I

词 语 | Words

1.	公司	gōngsī	firm, company	9.	记得	jìde	to remember
2.	包	bāo	bag	10.	车号	chē hào	number of a vehicle
3.	落	là	to leave	11.	小票	xiǎo piào	receipt
4.	说话	shuōhuà	to speak, to talk	12.	上面	shàngmiàn	above
5.	清楚	qīngchǔ	clear	13.	居留证	jūliú zhèng	residence permit
6.	左右	zuǒyòu	about	14.	消息	xiāoxi	message, information
7.	打车	dǎchē	to take a taxi	15.	通知	tōngzhī	to notice
8.	下车	xià chē	to get off a car or bus				

专有名词 Proper Nouns

1.	国美出租汽车公司	Guóměi Chūzū Qìchē Gōngsī	Guomei Taxi Company
2.	北大	Běi Dà	short for (Peking University)
3.	京B12345	Jīng B yī'èrsānsìwǔ	Jing B 12345

131

课文一 | Text 1

(Scene: Mark left his bag in the taxi, and he called the taxi company immediately.)

马克: 请问，是国美出租汽车公司吗?
Mǎkè: Qǐngwèn, shì Guóměi Chūzū Qìchē Gōngsī ma?

职员: 是的。你有什么事?
zhíyuán: Shì de. Nǐ yǒu shénme shì?

马克: 我的包落在你们公司的出租车上了。
Mǎkè: Wǒ de bāo là zài nǐmen gōngsī de chūzūchē shàng le.

职员: 对不起，你说的话我听不清楚，你能不能
zhíyuán: Duìbuqǐ, nǐ shuō de huà wǒ tīng bu qīngchǔ, nǐ néng bu néng
说 得 慢 一 点 儿!
shuō de màn yìdiǎnr!

马克: 我的包落在你们公司的出租车上了。昨天
Mǎkè: Wǒ de bāo là zài nǐmen gōngsī de chūzūchē shàng le. Zuótiān

shop stuff (handwritten note)

cab
打 dǐ

晚上 9 点 左右，我 打车 从 北大 回 学校，
wǎnshang jiǔ diǎn zuǒyòu, wǒ dǎchē cóng Běi Dà huí xuéxiào,

下车的时候把包落在出租车上了。您听
xià chē de shíhou bǎ bāo là zài chūzūchē shàng le. Nín tīng

清楚了吗?
qīngchǔ le ma?

职员: 这次听清楚了。你还记得车号吗?
zhíyuán: Zhè cì tīng qīngchǔ le. Nǐ hái jìde chē hào ma?

马克: 不记得了。
Mǎkè: Bù jìde le.

职员: 你把小票拿出来看看，上面有车号。
zhíyuán: Nǐ bǎ xiǎo piào ná chūlái kànkan, shàngmiàn yǒu chē hào.

马克: 我看看，车号是京B12345。
Mǎkè: Wǒ kànkan, chē hào shì jīng B yī èrsānsìwǔ.
yāo

职员: 你的包是什么颜色的? 里边有什么东西?
zhíyuán: Nǐ de bāo shì shénme yánsè de? Lǐbian yǒu shénme dōngxi?

马克: 我的包是黑色的，里边有护照、居留证、钱
Mǎkè: Wǒ de bāo shì hēi sè de, lǐbian yǒu hùzhào, jūliú zhèng, qián

包什么的。
bāo shénme de.

职员: 好的，我们帮你查查，一有消息马上通知
zhíyuán: Hǎo de, wǒmen bāng nǐ chácha, yì yǒu xiāoxi mǎshàng tōngzhī

你，把你的电话告诉我。
nǐ, bǎ nǐ de diànhuà gàosù wǒ.

马克: 好的。
Mǎkè: Hǎo de.

注释 | Notes

可能补语（2） Complements of potentiality (2)

The structural particle "得" can be added between the verb and the adjective as the resultative complement to form a potential complement. In the negative form, "不" is used in place of "得".

Subject (S)	Predicate (P)	
	V+得/不+Adj. (cp)	**O**
我	看得清楚	黑板。
你	洗得干净	衣服吗?
我	发不好	这个音。

The affirmative-negative question form is:

Subject (S)	Predicate (P)	
	V+得+Adj.+V+不+Adj.	O
你	看得清楚看不清楚	这几个汉字？
你们	发得好发不好	这个音？
你	洗得干净洗不干净	自己的衣服？

句型操练 | Pattern Drills

1. 我的包落在你们公司的出租车上了。
   ……落在……了。

我的书／教室里　　钱包／超市里　　词典／图书馆里

2. 对不起，你说的话我听不清楚，你能不能说得慢一点儿。
   对不起，你说的话我听不……，你能不能说得……一点儿。

清楚／大声　　懂／容易　　见／大声

趁热打铁　Strike While the Iron Is Hot

1. 请问是……出租车公司吗？
3. 我的……落在你们公司的出租车上了。
5. ……，你听清楚了吗？
7. 不记得了。
9. 我看看，车号是……。

2. 是的，你有什么事？
4. 对不起，你说的话我听不清楚，能不能说得慢一点儿。
6. 这次听清楚了。你还记得车号吗？
8. 你把小票拿出来看看，上面有车号。
10. 我们帮你查查，一有消息马上通知你。

133

第二部分 | Part II

词语 | Words

1.	开心	kāixīn	happy		7.	丢	diū	to lose
2.	刚才	gāngcái	just now		8.	急	jí	anxious
3.	服务	fúwù	service		9.	小心	xiǎoxīn	careful
4.	里面	lǐmiàn	inside		10.	教训	jiàoxùn	lesson
5.	重要	zhòngyào	important		11.	人家	rénjia	other people
6.	证件	zhèngjiàn	certificate					

课文二 | Text 2

(Scene: Mark and Andrew are chatting.)

安德鲁：你的包找到了吗？
Āndélǔ: Nǐ de bāo zhǎo dào le ma?

马克：你猜猜。
Mǎkè: Nǐ cāicai.

安德鲁：我看你这么开心，一定是找到了。
Āndélǔ: Wǒ kàn nǐ zhème kāixīn, yídìng shì zhǎo dào le.

马克：你猜对了。刚才出租车公司的师傅已经给
Mǎkè: Nǐ cāi duì le. Gāngcái chūzūchē gōngsī de shīfu yǐjīng gěi
我送来了。
wǒ sòng lái le.

安德鲁：出租车公司的服务真不错。包里面的钱
Āndélǔ: Chūzūchē gōngsī de fúwù zhēn búcuò. Bāo lǐmiàn de qián
多不多？
duō bu duō?

马克：钱不多，可是里面有很重要的证件、钥匙
Mǎkè: Qián bù duō, kěshì lǐmiàn yǒu hěn zhòngyào de zhèngjiàn, yàoshi
什么的。刚丢包的时候，我急得不知道怎么
shénmede. Gāng diū bāo de shíhou, wǒ jí de bù zhīdào zěnme

办 才 好。

bàn cái hǎo.

安德鲁: 这 下 好 了。 不 过, 以 后 可 要 小 心 了。

Āndélǔ: Zhè xià hǎo le. Búguò, yǐhòu kě yào xiǎoxīn le.

马克: 是 啊, 这 是 个 教 训。我 以 后 一 定 要 特 别 小 心。

Mǎkè: Shì a, zhè shì ge jiàoxūn. Wǒ yǐhòu yídìng yào tèbié xiǎoxīn.

安德鲁: 你 应 该 好 好 儿 谢 谢 人 家。

Āndélǔ: Nǐ yīnggāi hǎohāor xièxie rénjia.

马克: 我 也 是 这 么 想 的, 可 是 我 给 他 钱, 他 不 要。

Mǎkè: Wǒ yě shì zhème xiǎng de, kěshì wǒ gěi tā qián, tā bù yào.

安德鲁: 你 是 不 是 给 少 了?

Āndélǔ: Nǐ shì bu shì gěi shǎo le?

马克: 哪 儿 啊, 司 机 师 傅 说 那 是 他 应 该 做 的。

Mǎkè: Nǎr a, sījī shīfu shuō nà shì tā yīnggāi zuò de.

注 释 | Notes

1. 人家 **The other person, other persons**

The pronoun "人家", in this lesson, refers to a person or persons other than the speaker or the listener, and this person or persons is/are mentioned previously. It equals to "he/she" or "they".

（1）马克等了你半天了，你快给人家打个电话吧。

（2）你的男朋友那么爱你，如果你不跟他结婚，怎么对得起人家？

（3）那个小伙子帮助了你，你应该好好谢谢人家。

2. "刚" 和 "刚才" **Just now**

"刚" is an adverb. It indicates something occurred not too long ago and can just used before the verb. E.g.

（1）我们刚下课。

（2）我刚来一会儿。

（3）我刚把作业做完。

"刚才" is a noun. It refers to the time not long before speaking. It can be used before the verb or subject. It can also be used after the subject. E.g.

（1）刚才我去买报纸了。

（2）我刚才去买报纸了。

（3）刚才我还看见他在这儿，一会儿就不见了。

Note: In the sentences with "刚", there can be a complement of duration after the verb. E.g.

（1）他刚走了两天，我就开始想他了。

（2）我刚到五分钟。

135

3. 哪儿啊

It is used independently in a rhetorical question to express negation.

（1）　A：你是不是忘了这件事？

　　　　B：哪儿啊。怎么会呢？

（2）　A：你是不是给少了？

　　　　B：哪儿啊。司机师傅说那是他应该做的。

（3）　A：来北京以后，你去过很多地方了吧？

　　　　B：哪儿啊。我一直很忙，没有时间去。

句型操练 | Pattern Drills

1. 刚才出租车公司的师傅已经给我送来了。

　　刚才……。

| 李明/打电话 | 卡伦/来看我 | 王老师/找你 |

2. 我急得不知道怎么办才好。

　　我……得不知道……才好。

| 高兴/说什么 | 紧张/问什么 | 头疼/怎么办 |

3. 哪儿呀，司机师傅说那是他应该做的。

哪儿呀，……说那是……。

老师／做的

马克／她妹妹的

妈妈／为你准备的

趁热打铁　Strike While the Iron Is Hot

1. 你的……找到了吗？

3. 我看你这么开心，一定是找到了。

5. 这下好了。不过，以后可要小心了。

7. 这是个教训，你应该好好谢谢人家。

9. 你是不是给少了？

2. 你猜猜。

4. 你猜对了。刚才司机师傅给我送来了。

6. 是啊，刚丢……的时候，我急得不知道怎么办才好。

8. 我也是这么想的。可是我给他钱，他不要。

10. 哪儿啊，人家说那是他应该做的。

137

词语扩展 | Vocabulary Extension

all diffe types of 票据

票 据

出租车小票
chūzūchē xiǎo piāo
receipt

发票
fāpiào
invoice

收据
shōujù

超市小票
chāoshì xiǎo piāo
receipt

听与说 | Listening and Speaking

一 看图回答问题 Look and Answer

你从这里面能找到哪些认识的票据？

二 双人练习 Pair Work

A	B
请问是国美出租车公司吗？	是的。_____？
我的手机落在你们公司的出租车上了。	是什么时候的事？
刚才我打车从北大去王府井的时候。	你还记得_____吗？
	你把小票拿出来看看，上面有车号。
我看看，车号是京**F54321**。	好的，我们帮你查查，一有消息马上通知你。
那你们怎么跟我联系？	请把你的地址告诉我，我们找到以后给你送去。

A	B
你买的那本词典退了没有？	你猜猜。
我看你这么开心，_____。	你猜对了。书店的服务员又给我换了一本新的。
以后买书的时候要好好检查检查。	是啊，因为我留着买词典的发票才给我退的。
以后买东西的时候一定要记得要_____。	我也是这么想的。如果没有发票怎么办？
一般都有，如果没有，就要_____。	去超市买东西时给的小票是不是收据？
算是吧。如果有问题，可以拿小票去退。	那以后不能买完东西就把小票丢了。

①②

三 根据实际情况回答问题 **Answer the Questions According to Actual Situations**

1. 你丢过东西吗？后来找到了没有？
2. 坐出租车的时候你每次都要小票吗？
3. 你有过什么教训？

读与写 | **Reading and Writing**

一 把括号中的词填入适当的位置 **Put the Words into the Appropriate Places**

1. 你 **A** 说的话我 **B** 听 **C** 清楚。　　　　（得）
2. 我 **A** 下课，他就 **B** 来 **C** 找我了。　　（刚）
3. 这件事我 **A** 用汉语 **B** 说 **C** 清楚。　　（不）
4. **A** 你 **B** 说 **C** 得慢一点！　　　　　（能不能）

二 选词填空 **Fill in the Blanks**

1. ＿＿＿＿＿＿我去找王老师了。　　　　（刚才，刚）
2. 他＿＿＿＿＿＿出去一会儿。　　　　　（常，刚）
3. 黑板上的字你＿＿＿＿＿＿吗？　　（看不清楚 ，不看清楚）

三 填写并完成对话 **Fill in the Blanks and Complete the Conversation**

A：这里是国美出租车公司。＿＿＿＿＿＿＿＿＿＿＿＿？　（什么）
B：我的包落在你们公司的出租车上了。
A：对不起，你说的话我听不清楚。
　　＿＿＿＿＿＿＿＿＿＿＿＿＿＿＿＿！　　　　（能不能）
B：我的包落在你们公司的出租车上了。昨天晚上9点左右，我打车从北大回
　　学校，下车的时候把包落在出租车上了。您听清楚了吗？
A：这次听清楚了。＿＿＿＿＿＿＿＿＿＿＿＿＿？　　（记得）
B：不记得了。
A：＿＿＿＿＿＿＿＿＿＿＿＿＿＿＿＿＿＿？　　（把）
　　上面有车号。
B：我看看，车号是京**B12345**。

A：_____？　（颜色）

B：我的包是黑色的。

A：_____？　（里边）

B：里边有护照、居留证、钱包、钥匙什么的。

A：请把你的电话告诉我。我们帮你查查，

_____。　（一……就……）

四　朗读短文　Read Aloud

　　昨天晚上 9 点左右，我打车从北大回学校，下车的时候把包落在出租车上了。我的包是黑色的，里边有护照、居留证、钱包什么的。刚丢包的时候，我急得不知道怎么办才好。我不记得车号。还好，我还留着小票。我把小票拿出来一看，出租车是国美出租汽车公司的，车号是京 B12345。我给他们公司打电话，他们的服务真不错。找到了以后，还给我送来了。我很感谢他们。这是个教训。我以后一定要特别小心。

Zuótiān wǎnshang jiǔ diǎn zuǒyòu, wǒ dǎchē cóng Běi Dà huí xuéxiào, xià chē de shíhou bǎ bāo là zài chūzūchē shàng le. Wǒ de bāo shì hēi sè de, lǐbian yǒu hùzhào, jūliú zhèng, qiánbāo shénmede. Gāng diū bāo de shíhou, wǒ jí de bù zhīdào zěnmebàn cái hǎo. Wǒ bú jìde chē hào. Hái hǎo, wǒ hái liú zhe xiǎo piào. Wǒ bǎ xiǎo piào ná chūlái yí kàn, chūzūchē shì Guóměi Chūzū Qìchē Gōngsī de, chē hào shì Jīng B yī'èrsānsìwǔ. Wǒ gěi tāmen gōngsī dǎ diànhuà, tāmen de fúwù zhēn búcuò. Zhǎo dào le yǐhòu, hái gěi wǒ sòng lái le. Wǒ hěn gǎnxiè tāmen. Zhè shì ge jiàoxùn. Wǒ yǐhòu yídìng yào tèbié xiǎoxīn.

我想请她帮个忙

Wǒ xiǎng qǐng tā bāng ge máng

句 子 | Sentences

220	I failed to get a ticket though I stood in a long queue for two hours.	我今天上午排了两个小时的队也
		Wǒ jīntiān shàngwǔ pái le liǎng ge xiǎoshí de
		没买到票。
		duì yě méi mǎi dào piào.
221	Could you get a ticket for me?	你能帮我弄张票吗?
		Nǐ néng bāng wǒ nòng zhāng piào ma?
222	Why didn't you tell me earlier?	你怎么不早说呢?
		Nǐ zěnme bù zǎo shuō ne?
223	I'm sorry that I always bother you.	我不好意思总麻烦你。
		Wǒ bù hǎoyìsi zǒng máfan nǐ.
224	Hello, may I know if Wang Xiaolu is in?	喂,请问王小璐在吗?
		Wèi, qǐngwèn Wáng Xiǎolù zài ma?
225	I'd like to ask her to do me a favor.	我想请她帮个忙。
		Wǒ xiǎng qǐng tā bāng ge máng.
226	Could you tell her to call me back?	麻烦你转告她,让她给我回个电
		Máfan nǐ zhuǎngào tā, ràng tā gěi wǒ huí
		话, 好吗?
		ge diànhuà, hǎo ma?
227	Ok, I'll leave her a message.	这样吧, 我给她留个字条。
		Zhèyàng ba, wǒ gěi tā liú ge zìtiáo.

141

第一部分 | Part I

词 语 | Words

1. 芭蕾舞 bālěiwǔ ballet

2. 团 tuán group

3.	演出	yǎnchū	to give a performance	7.	弄	nòng	to do
4.	负责	fùzé	in charge of	8.	麻烦	máfan	to bother, to trouble
5.	接待	jiēdài	to receive	9.	心里	xīn lǐ	in one's heart and mind
6.	排队	páiduì	to line up, to queue				

专有名词 Proper Nouns

俄罗斯芭蕾舞团	Éluósī Bālěiwǔ Tuán	Russian Corps de Ballet

课文一 | Text 1

(Scene: Karen is calling Zhang Hua to ask her to buy her a ticket.)

卡伦：　喂，张华，你能不能帮我个忙？
Kǎlún:　Wèi, Zhāng Huá, nǐ néng bu néng bāng wǒ ge máng?

张华：　什么忙？你说吧。
Zhāng Huá:　Shénme máng? Nǐ shuō ba.

卡伦：　明天晚上俄罗斯芭蕾舞团来北京演出，你
Kǎlún:　Míngtiān wǎnshang Éluósī Bālěiwǔ Tuán lái Běijīng yǎnchū, nǐ
　　　　知道吧？
　　　　zhīdào ba?

张华：　知道啊。我妈妈的朋友就负责接待他们。
Zhāng Huá:　Zhīdào a. Wǒ māma de péngyou jiù fùzé jiēdài tāmen.

卡伦：　我今天上午排了两个小时的队也没买到
Kǎlún:　Wǒ jīntiān shàngwǔ pái le liǎng ge xiǎoshí de duì yě méi mǎi dào
　　　　票。你能帮我弄张票吗？
　　　　piào. Nǐ néng bāng wǒ nòng zhāng piào ma?

张华：　应该没问题。你怎么不早说呢？
Zhāng Huá:　Yīnggāi méi wèntí. Nǐ zěnme bù zǎo shuō ne?

卡伦：　我不好意思总麻烦你。但是我太想去看了。
Kǎlún:　Wǒ bù hǎoyìsi zǒng máfan nǐ. Dànshì wǒ tài xiǎng qù kàn le.
　　　　先谢谢你啊！
　　　　xiān xièxie nǐ a!

142

张华：　客气什么？不过，我还是弄两张吧，你和
Zhāng Huá:　Kèqi shénme? Búguò, wǒ háishi nòng liǎng zhāng ba, nǐ hé

安 德 鲁 一 起 去 看 吧。
Āndélǔ yìqǐ qù kàn ba.

卡伦：　你说到我的心里了，真不知道怎么感谢你
Kǎlún:　Nǐ shuō dào wǒ de xīn lǐ le, zhēn bù zhīdào zěnme gǎnxiè nǐ

才 好。
cái hǎo.

张华：　谢什么。等我的好消息吧。
Zhāng Huá:　Xiè shénme. Děng wǒ de hǎo xiāoxi ba.

卡伦：　好的。
Kǎlún:　Hǎo de.

注释 | Notes

"弄" Do

"弄" is a verb, which has the meaning of "do". In sentences, it can be used in substitution of other verbs. E.g.

（1）帮我弄张电影票吧！　　　　（设法得到）

（2）我的电脑坏了，你帮我弄弄。　（修理）

（3）今天的语法我们都弄懂了。　（学习、研究）

（4）你把我的衣服弄脏了。　　　（使得）

143

句型操练 | Pattern Drills

1. 我今天上午排了两个小时的队也没买到票。

　我今天上午……了两个小时的……也没……。

睡觉/睡够

爬山/爬上去

参观博物馆/参观完

2. 你能帮我弄张票吗？

你能帮我弄……吗？

吃的　　　　　喝的　　　　　彩灯

3. 你怎么不早说呢？

你怎么不早……呢？

买票　　　　　换(钱)　　　　　通知

144

趁热打铁　*Strike While the Iron Is Hot*

1. 你能不能帮我个忙？

3. ……来北京演出，你知道吧？

5. 我……也没买到票，你能帮我弄张票吗？

7. 我不好意思总麻烦你。但是我太想去看了。

9. 你说到我的心里了，真不知道怎么感谢你才好。

2. 什么忙？你说吧。

4. 知道啊。……就负责接待他们。

6. 应该没问题。你怎么不早说呢。

8. 我还是弄两张吧，你跟朋友一起去。

10. 客气什么。等我的好消息吧。

第二部分 | Part II

词语 | Words

1.	中学	zhōngxué	middle school	5.	字条	zìtiáo	note
2.	说起	shuō qǐ	to mention	6.	短信	duǎnxìn	text message
3.	转告	zhuǎngào	pass on (word)	7.	保险	bǎoxiǎn	sure
4.	…机	jī	machine	8.	打扰	dǎrǎo	to disturb, to bother

课文二 | Text 2

(Scene: Zhang Hua is calling her classmate Wang Xiaolu. And Wang's roommate answers the phone.)

张 华： 喂，请问王小璐在吗？
Zhāng Huá： Wèi, qǐngwèn Wáng Xiǎolù zài ma?

同 屋： 她不在。她出去了。
tóngwū： Tā bú zài. Tā chūqù le.

张 华： 你知道她去哪儿了吗？
Zhāng Huá： Nǐ zhīdào tā qù nǎr le ma?

同 屋： 我不太清楚。你哪位？
tóngwū： Wǒ bú tài qīngchu. Nǐ nǎ wèi?

张 华： 我是她的中学同学。我叫张华。
Zhāng Huá： Wǒ shì tā de zhōngxué tóngxué. Wǒ jiào Zhāng Huá.

同 屋： 我听她说起过你。你找她有什么事吗？
tóngwū： Wǒ tīng tā shuō qǐ guò nǐ. Nǐ zhǎo tā yǒu shénme shì ma?

张 华： 我想请她帮个忙。麻烦你转告她，让她
Zhāng Huá： Wǒ xiǎng qǐng tā bāng ge máng. Máfan nǐ zhuǎngào tā, ràng
给我回个电话，好吗？
tā gěi wǒ huí ge diànhuà, hǎo ma?

同 屋： 我马上要去上课。你打她手机吧，我告诉
tóngwū： Wǒ mǎshàng yào qù shàngkè. Nǐ dǎ tā shǒujī ba, wǒ gàosù nǐ
你她的手机号码。
tā de shǒujī hàomǎ.

145

张华：　　我知道她的手机号码。刚才打过了，可是
Zhāng Huá:　Wǒ zhīdào tā de shǒujī hàomǎ. Gāngcái dǎ guò le, kěshì tā

　　　　　　她关机了。
　　　　　　guānjī le.

同屋：　　这样吧，我给她留个字条，让她一回来就
tóngwū:　　Zhèyàng ba, wǒ gěi tā liú ge zìtiáo, ràng tā yì huílái jiù gěi nǐ

　　　　　　给你打电话。你也给她发个短信。这样就
　　　　　　dǎ diànhuà. Nǐ yě gěi tā fā ge duǎnxìn. Zhèyàng jiù

　　　　　　更保险了。
　　　　　　gèng bǎoxiǎn le.

张华：　　我马上发。真是太感谢你了。打扰你了。
Zhāng Huá:　Wǒ mǎshàng fā. Zhēnshì tài gǎnxiè nǐ le. Dǎrǎo nǐ le.

同屋：　　别客气。有空儿来我们宿舍玩儿。
tóngwū:　　Bié kèqi. Yǒu kòngr lái wǒmen sùshè wánr.

注释 | Notes

"这样" In this way

　　It is a phrase referring to what is said above, and introduce the following text. The modal particle "吧" is often used at the end of the sentence.

（1）A：怎么办呢？我找不到卡伦。

　　　B：这样吧，我给她留个字条，让她一回来就去找你。

（2）这样吧，你去图书馆找找他，他可能在那儿。

（3）这样吧，我来帮助你。

句型操练 | Pattern Drills

1. 麻烦你转告她，让她给我回个电话，好吗？

　　麻烦你转告她，让她……，好吗？

去超市帮我买东西

下午到教室来一趟

来宿舍找我

在教室等我

146

2. 这样吧，我给她留个字条。

这样吧，我……。

note

给他发
邮jian

给他打个电话

在这里等他

去图书馆找他

趁热打铁 Strike While the Iron Is Hot

1. 喂，请问……在吗？

3. 你知道他去哪儿了吗？

5. 我是……，我叫……。

7. 我想请他帮我个忙。麻烦你转告他，……？

9. 真是太感谢你了。

2. 他不在。他出去了。

4. 我不太清楚。你哪位？

6. 你找他有什么事儿吗？

8. 我马上要出去。这样吧，我给他留个字条。

10. 别客气。

147

词语扩展 | Vocabulary Extension

舞蹈

芭蕾舞
bālěiwǔ

交谊舞
jiāoyìwǔ

街舞
jiēwǔ

拉丁舞
lādīngwǔ

听与说 | Listening and Speaking

一 看图回答问题 Look and Answer

他们在跳什么舞？你会跳那种舞？

二 双人练习 Pair Work

A	B
你能不能帮我个忙？	什么忙？
明天晚上 ＿＿＿ 来北京开演唱会，你知道吧？	知道啊，我表姐就负责接待他。
我今天排了半天的队也没买到票。＿＿＿＿？	＿＿＿＿＿＿，你怎么不早说呢？
我 不好意思，但是我太想去看了。	我还是弄两张吧，你跟朋友一起去。
你说到我的心里了，＿＿＿＿＿＿＿。	客气什么，等我的好消息吧。

A	B
喂，请问 ＿＿＿＿＿＿＿＿＿ 在吗？	他不在。他出去了。
	我不太清楚。你哪位？
我是他的 ＿＿＿＿＿，我叫 ＿＿＿＿＿。	
麻烦你转告他，他要的话剧票我帮他弄到了。	我马上要出去，你给他打手机，好吗？
我刚才 ＿＿＿＿＿＿＿，可是他关机了。	那我给他留个字条，让他一回来就跟你联系。
太感谢你了。打扰你了。	

三 根据实际情况回答问题 Answer the Questions According to Actual Situations

1. 你请别人帮忙弄过什么票吗？在你们国家有没有这样的习惯？
2. 你帮别人转告过什么事情吗？
3. 你会用汉语留一张字条吗？

读与写 | Reading and Writing

一 把括号中的词填入适当的位置 Put the Words into the Appropriate Places

1. 你能帮 **A** 我 **B** 两张 **C** 足球门票吗？　　　　　（弄）
2. 我想请她帮 **A** 我 **B** 忙 **C** 。　　　　　　　　　　（个）
3. 我真 **A** 不知道 **B** 感谢 **C** 你才好。　　　　　　　（怎么）

二 选词填空 Fill in the Blanks

1. 我能 _____ 你弄到票。　　　　　　（帮，帮忙）
2. _____ 吧，我来接待他们。　　　　　（这样，那样）
3. 这些问题你 _____ 懂了吗？　　　　　　（弄，做）

三 填写并完成对话 Fill in the Blanks and Complete the Conversation

> **A**：喂，_____？　　（在）
> **B**：王小璐不在。她出去了。
> **A**：_____？　　　　（知道）
> **B**：我不太清楚她去哪儿了。_____？　　（哪）
> **A**：我是她的中学同学。我叫张华。
> **B**：我听她说起过你。你找她有什么事吗？
> **A**：_____。　　　（帮忙）
> 　　　麻烦你转告她，让她给我回个电话，好吗？
> **B**：我马上要去上课。你打她手机吧，_____。　　（告诉）
> **A**：我知道她的手机号码。刚才打过了，_____。　　（可是）
> **B**：这样吧，_____。　　（留）
> 　　　让她一回来就给你打电话。
> **A**：真是太感谢你了，打扰你了。
> **B**：别客气。_____。　　（有空）

四　朗读短文 Read Aloud

　　明天晚上俄罗斯芭蕾舞团要来北京演出，我很喜欢看芭蕾舞。我今天 上午排了两个小时的队也没买到票。正不知道应该怎么办的时候，我听说 张华妈妈的朋友负责接待他们，我高兴极了。虽然不好意思总麻烦她。但是我太想去看了，就请她帮我弄两张票。她说没问题。让我等她的好消息。我真不知道怎么感谢她才好。

　　Míngtiān wǎnshang Éluósī Bālěiwǔ Tuán yào lái Běijīng yǎnchū, wǒ hěn xǐhuan kàn bālěiwǔ. Wǒ jīntiān shàngwǔ pái le liǎng ge xiǎoshí de duì yě méi mǎi dào piào. Zhèng bù zhīdào yīnggāi zěnmebàn de shíhou, wǒ tīngshuō Zhāng Huá māma de péngyou fùzé jiēdài tāmen, wǒ gāoxìng jí le. Suīrán bù hǎoyìsi zǒng máfan tā. Dànshì wǒ tài xiǎng qù kàn le, jiù qǐng tā bāng wǒ nòng liǎng zhāng piào. Tā shuō méi wèntí. Ràng wǒ děng tā de hǎo xiāoxi. Wǒ zhēn bù zhīdào zěnme gǎnxiè tā cái hǎo.

真抱歉，我来晚了

Zhēn bàoqiàn, wǒ lái wǎn le

句子 | Sentences

228	So sorry I'm late.	真抱歉，我来晚了。
		Zhēn bàoqiàn, wǒ lái wǎn le.
229	I had just gone out of the school gate when I got hit by another bike.	我骑车刚出校门，就被另一辆自行车撞
		Wǒ qí chē gāng chū xiào mén, jiù bèi lìng yí liàng
		了。
		zìxíngchē zhuàng le.
230	My bike has been hit and broken.	我的自行车被撞坏了。
		Wǒ de zìxíngchē bèi zhuàng huài le.
231	To show my regret, today is my treat.	为了表示歉意，今天我请客。
		Wèile biǎoshì qiànyì, jīntiān wǒ qǐngkè.
232	Don't mention it!	别提了！
		Biétí le!
233	The coffee has been spilled by me.	咖啡让我碰洒了。
		Kāfēi ràng wǒ pèng sǎ le.
234	It was all my fault that I was so careless.	都怪我不小心。
		Dōu guài wǒ bù xiǎoxīn.
235	It comes to me.	我想起来了。
		Wǒ xiǎng qǐlái le.

151

第一部分 | Part I

词语 | Words

1.	抱歉	bàoqiàn	sorry
2.	总	zǒng	always
3.	回	huí	(measure word for matters or actions)

4.	骑	qí	to ride		10.	撞	zhuàng	to knock down
5.	车／自行车	chē/zìxíngchē	vehicle / bicycle, bike		11.	伤	shāng	to injure
					12.	坏	huài	broken
6.	校门	xiào mén	school gate		13.	修	xiū	to repair
7.	被	bèi	by (indicating the passive)		14.	好在	hǎozài	fortunately
					15.	洗手间	xǐshǒu jiān	toilet, washroom
8.	另	lìng	another		16.	饿	è	hungry
9.	辆	liàng	(measure word for any vehicle)		17.	歉意	qiànyì	apology, regret

课文一 | **Text 1**

(Scene: Zhang Hua, Mark and Andrew have made an appointment to have dinner together, and Mark is late.)

马克： 真抱歉，我来晚了。
Mǎkè: Zhēn bàoqiàn, wǒ lái wǎn le.

张华： 你总算到了，怎么回事？
Zhāng Huá: Nǐ zǒngsuàn dào le, zěnme huí shì?

马克： 我骑车刚出校门，就被另一辆自行车撞了。
Mǎkè: Wǒ qí chē gāng chū xiào mén, jiù bèi lìng yí liàng zìxíngchē zhuàng le.

张华： 怎么样？伤着没有？
Zhāng Huá: Zěnmeyàng? Shāng zhe méiyǒu?

马克： 没伤着。可是，我的自行车被撞坏了，不能骑了。
Mǎkè: Méi shāng zhe. Kěshì, wǒ de zìxíngchē bèi zhuàng huài le, bù néng qí le.

张华： 你的自行车呢？
Zhāng Huá: Nǐ de zìxíngchē ne?

马克： 我把自行车送到修车的地方，然后打车来这儿，
Mǎkè: Wǒ bǎ zìxíngchē sòng dào xiū chē de dìfang, ránhòu dǎchē lái zhèr,
所以来晚了。
suǒyǐ lái wǎn le.

张华： 没关系，好在人没事。
Zhāng Huá: Méiguānxi, hǎozài rén méishì.

马克： 你们等急了吧？安德鲁呢？他还没来？
Mǎkè: Nǐmen děng jí le ba? Āndélǔ ne? Tā hái méi lái?

张华： 哪儿啊，他去洗手间了。
Zhāng Huá: Nǎr a, tā qù xǐshǒujiān le.

152

马克： 我们点菜吧，你们都饿坏了吧。为了表示歉意，
Mǎkè： Wǒmen diǎn cài ba, nǐmen dōu è huài le ba. Wèile biǎoshì qiànyì,

今天我请客。
jīntiān wǒ qǐngkè.

注释 | Notes

1. "被" 字句（1）　　Sentences with "被"(1)

The "被+ object" phrase is used as an adverbial in a passive sentence. The object of "被" sometimes is absent.

Subject (S)	Predicate (P)		
	被	(O)	V+(RC)
我	被	一辆自行车	撞了。
书	被	我	忘在宿舍了。
自行车	被		撞坏了。

The negative form is:

Subject (S)	Predicate (P)		
	没(有)被	(O)	V+(RC)
他	没被	汽车	撞伤。
我的自行车	没被		撞坏。

2. "另"　　Another

When it is used as a pronoun, "另" means "另外"(another). It is followed by a numeral-measure word phrase. E.g.

（1）我骑车刚出校门，就被另一辆自行车撞了。

（2）我想再去另一个博物馆。

（3）王老师教我们班综合课，还教另一个班的口语课。

When used as an adverb, "另" also expresses the range mentioned above. Besides, it is always followed by a verb. E.g.

（1）这辆出租车有人，我们另打一辆车吧！

（2）这样做不行，我们另想办法。

（3）这个暑假我不回国，我另有计划。

句型操练 | Pattern Drills

1. 真抱歉，我来晚了。

真抱歉，……。

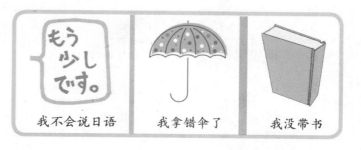

我不会说日语　　我拿错伞了　　我没带书

153

2. 我的自行车被撞坏了。
   我的自行车被……。

卡伦骑走了　　　　我同屋借去了　　　　偷了

趁热打铁 *Strike While the Iron Is Hot*

2. 你总算到了，怎么回事？
4. ……。
6. 没事儿。

1. 真抱歉，我来晚了。
3. ……。
5. 你等急了吧？
7. 咱们点菜吧，你饿坏了吧。为了表示歉意，今天我请客。

154

第二部分 | Part II

词语 | Words

1.	困	kùn	sleepy	9.	碰	pèng	to touch
2.	小卖部	xiǎomàibù	a small shop	10.	洒	sǎ	to spill
3.	杯	bēi	cup	11.	餐巾纸	cānjīnzhǐ	napkin
4.	衣服	yīfu	clothes	12.	擦	cā	to wipe
5.	脏	zāng	dirty	13.	怪	guài	to blame
6.	别提了	biétíle	don't mention it	14.	电子	diànzǐ	electron
7.	上	shàng	to go (upstairs)	15.	马马虎虎	mǎmǎhūhū	careless
8.	滑	huá	slippery				

课文二 | Text 2

(Scene: Zhang Hua and Karen are studying in a reading room of the library.)

张华：　我 怎么 这么 困 呢？
Zhāng Huá:　Wǒ zěnme zhème kùn ne?

卡伦：　我 去 楼 下 小卖部 买 两 杯 咖啡 来，你 等 一会儿。
Kǎlún:　Wǒ qù lóu xià xiǎomàibù mǎi liǎng bēi kāfēi lái, nǐ děng yíhuìr.

(Later ...)

张华：　你 怎么 了？衣服 怎么 脏 了？咖啡 呢？
Zhāng Huá:　Nǐ zěnme le? Yīfu zěnme zāng le? Kāfēi ne?

卡伦：　哎呀，别 提 了！
Kǎlún:　Āiya, biétí le!

张华：　怎么 回事？
Zhāng Huá:　Zěnme huí shì?

卡伦：　刚才 上楼 的 时候，不 小心 滑 了 一下儿，咖啡 让
Kǎlún:　Gāngcái shàng lóu de shíhou, bù xiǎoxīn huá le yíxiàr, kāfēi ràng
　　　　我 碰 洒 了，衣服 也 让 我 弄 脏 了。
　　　　wǒ pèng sǎ le, yīfu yě ràng wǒ nòng zāng le.

张华：　给 你 餐巾纸，先 擦擦。
Zhāng Huá:　Gěi nǐ cānjīnzhǐ, xiān cāca.

卡伦：　没事。都 怪 我 不 小心。
Kǎlún:　Méishì. Dōu guài wǒ bù xiǎoxīn.

张华：　我们 回 宿舍 吧，你 换 件 衣服。
Zhāng Huá:　Wǒmen huí sùshè ba, nǐ huàn jiàn yīfu.

卡伦：　好 的。哎？我 的 电子 词典 呢？怎么 不 见 了？
Kǎlún:　Hǎo de. Āi? Wǒ de diànzǐ cídiǎn ne? Zěnme bújiàn le?

张华：　你 的 词典 不 是 被 惠美 借 走 了 吗？你 今天 没 带
Zhāng Huá:　Nǐde cídiǎn bú shì bèi Huìměi jiè zǒu le ma? Nǐ jīntiān méi dài
　　　　词典。
　　　　cídiǎn.

卡伦：　哦，我 想 起来 了。我 最近 总是 马马虎虎 的。
Kǎlún:　Ò, wǒ xiǎng qǐlái le. Wǒ zuìjìn zǒngshì mǎmǎhūhū de.

155

注 释 | Notes

别开玩笑

1. "别提了" **Don't mention it**

"别提了" is often used when the speaker avoids to talk about something or somebody as it might be unpleasant. Sometimes it is used with an exclamatory tone. E.g.

(1) A：你怎么了？衣服怎么脏了？

B：哎呀，别提了！咖啡被我碰洒了。

(2) A：你怎么来得这么晚？

B：别提了！今天堵车堵得很厉害。

(3) A：你怎么这么不高兴？

B：别提了！我的钱包丢了。

2. 被字句（2） **Sentences with "被" (2)**

In spoken Chinese, the preposition "被" can be replaced by "叫" or "让". And the preposition "叫" or "让" must be followed by an object.

Subject (S)	Predicate (P)		
	叫/让	O	V+(RC)
我的词典	叫	惠美	借走了。
咖啡	让	我	碰洒了。
衣服	让	我	弄脏了。

3. "起来" 的引申意义（1）**The extended meaning of "起来" (1)**

In this lesson, "想＋起来" means "It comes to sb.". The potential complement is "想＋得/不＋起来".

(1) A：词典不是被惠美借走了吗？你今天没带词典。

B：哦，我想起来了。

(2) 我怎么也想不起来他的名字了。 ——想不想起来

(3) A：你想得起来想不起来这个汉字怎么写？

B：我想不起来。

花洒 - showerhead.

句型操练 | Pattern Drills

1. 咖啡让我碰洒了。

咖啡让我……。

送人了 喝完了 放桌子上了

156

all my fault | all bright on me because I'm careless

2. 都怪我不小心。
都怪我……。

都怪我说关好门

没先告诉你　　　　说错了话　　　　没说清楚

3. 我想起来了，我的词典被惠美借走了。
我想起来了，……。

girlsname

她是我六年前的老师

春

我的那本书被马克借走了

明天有考试

趁热打铁　Strike While the Iron Is Hot

1. 我怎么这么困呢？
3. 你怎么了？衣服怎么脏了？咖啡呢？
5. 给你餐巾纸，先擦擦。
7. 你回宿舍换件衣服吧。

2. 我去……买两杯咖啡来，你等一会儿。
4. 别提了，刚才……。
6. 没事。都怪我不小心。

157

词语扩展 | Vocabulary Extension

表　情

困　　　　　累　　　　　饿　　　　　失眠
kùn　　　　lèi　　　　　è　　　　　shīmián

insomnia

一 看图回答问题 Look and Answer

他们怎么了？

二 双人练习 Pair Work

158

留学生	老 师
老师，真抱歉，我来晚了。	
我今天早上起晚了。	昨天晚上几点睡的？
① 我昨天晚上失眠了，今天凌晨三点才睡着。	
我也不知道是什么原因。	睡觉前喝杯牛奶或者洗个澡就不容易失眠了。

A	B
我怎么这么累呢？	你昨天干什么了？
在宿舍里躺了一天。	怎么了？＿＿＿＿＿＿＿＿？
② 不是生病了。就是懒得动，哪儿也＿＿＿＿＿＿。	你这样怎么行？
就是啊，我什么都＿＿＿＿，总觉得累。	我看你应该开始锻炼身体了。
我不胖啊。	锻炼身体不只是为了＿＿＿＿，还可以让你有精神。

三 根据实际情况回答问题 Answer the Questions According to Actual Situations

1. 你会骑自行车吗？你骑自行车时被撞过吗？
2. 如果你很困，但是没有时间睡觉，怎么办？
3. 两个中国人约好见面时最后常说"不见不散"，意思是说如果一个人不来，另一个人就会一直等下去。如果你迟到了，你会怎么做？

读与写 | Reading and Writing

一 把括号中的词填入适当的位置 Put the Words into the Appropriate Places

1. **A** 我的自行车 **B** 撞 **C** 坏了。 （被）
2. 钥匙 **A** 被我 **B** 弄丢 **C** 。 （没有）
3. 我 **A** 今天 **B** 马马虎虎 **C** 的。 （总是）

二 选词填空 Fill in the Blanks

1. 我的衣服_____弄脏了。 （被，叫，让）
2. 自行车_____送到修车的地方了。 （被，叫，让）
3. 我想_____了，今天我没带词典。 （起来，出来，下来）

三 填写并完成对话 Fill in the Blanks and Complete the Conversation

> **A**：你好。
> **A**：_____，我来晚了。 （抱歉）
> **B**：你总算到了，怎么回事？
> **A**：我骑车刚出校门，_____。 （被）
> **B**：伤着没有？
> **A**：没伤着。可是，_____，不能骑了。 （被）
> **B**：你的自行车呢？
> **A**：_____，（把）
> 　　然后打车来这儿，所以来晚了。
> **B**：没关系，_____。 （好在）
> **A**：我们点菜吧，_____。 （为了）

四 朗读短文 Read Aloud

　　张华今天很困，我去楼下小卖部给她买杯咖啡。可是买完咖啡上楼的时候，不小心滑了一下儿，咖啡让我碰洒了，衣服也让我弄脏了。这都怪我不小心。我打算回宿舍换件衣服。可是收拾东西的时候，我发现我的电子词典不见了。张华告诉我，我的词典被惠美借走了，我今天没带词典来。我这才想起来。我今天总是马马虎虎的。唉，别提了！

　　Zhāng Huá jīntiān hěn kùn, wǒ qù lóu xià xiǎomàibù gěi tā mǎi bēi kāfēi. Kěshì mǎi wán kāfēi shàng lóu de shíhou, bù xiǎoxīn huá le yíxiàr, kāfēi ràng wǒ pèng sǎ le, yīfu yě ràng wǒ nòng zāng le. Zhè dōu guài wǒ bù xiǎoxīn. Wǒ dǎsuàn huí sùshè huàn jiàn yīfu. Kěshì shōushi dōngxi de shíhou, wǒ fāxiàn wǒ de diànzǐ cídiǎn bújiàn le. Zhāng Huá gàosù wǒ, wǒ de cídiǎn bèi Huìměi jiè zǒu le, wǒ jīntiān méi dài cídiǎn lái. Wǒ zhè cái xiǎng qǐlái. Wǒ jīntiān zǒngshì mǎmǎhūhū de. Ài, biétí le!

对不起，
Duìbuqǐ,

我忘告诉你了
wǒ wàng gàosù nǐ le

| 句子 | Sentences |

---

236 Sorry, I forgot to tell you.

对不起，我 忘告诉你了。
Duìbuqǐ, wǒ wàng gàosù nǐ le.

---

237 He asked me to tell you that he had something else to do today, so he couldn't come for the tutoring.

他让我转告你，今天他有事，不能
Tā ràng wǒ zhuǎngào nǐ, jīntiān tā yǒu shì, bù

辅导了。
néng fǔdǎo le.

---

238 Why didn't you say it earlier? I've been waiting for such a long time.

你怎么不早说呢？让我白等了那么长
Nǐ zěnme bù zǎo shuō ne? Ràng wǒ bái děng le

时间。
nàme cháng shíjiān.

---

239 I nearly blamed Li Ming by mistake.

我差一点儿错怪李明。
Wǒ chàyìdiǎnr cuòguài Lǐ Míng.

---

240 Today, I went to the bookstore.

今天我去了一趟书店。
Jīntiān wǒ qù le yí tàng shū diàn.

---

241 Don't worry, just look for it carefully.

别着急，你再好好儿找找。
Bié zháojí, nǐ zài hǎohāor zhǎozhao.

---

242 I'm really sorry. I've lost the key to your bike.

真过意不去，你的自行车钥匙被我弄
Zhēn guò yì bú qù, nǐ de zìxíngchē yàoshi bèi

丢了。
wǒ nòng diū le.

---

243 How come I'm so forgetful recently?

我最近怎么总是丢三落四的。
Wǒ zuìjìn zěnme zǒngshì diū sān là sì de.

第一部分 | Part I

词 语 | Words

1.	生气	shēngqì	angry	5.	多亏	duōkuī	thanks to, luckily
2.	约	yuē	to make an appointment	6.	差 (一) 点儿	chà(yì)diǎnr	nearly, almost
				7.	大人不记	dàrén bújì	the great won't calculate
3.	白	bái	in vain, to no purpose		小人过	xiǎorén guò	wrongs of the wicked
				8.	改	gǎi	to change
4.	洗澡	xǐzǎo	to bathe	9.	成	chéng	to turn into

课文一 | Text 1

(Scene: Huimei is back to her room angrily.)

卡伦: 惠美，你怎么了? 生气了?
Kǎlún: Huìměi, nǐ zěnme le? Shēngqì le?

惠美: 别提了，今天跟李明约好在图书馆辅导，
Huìměi: Biétí le, jīntiān gēn Lǐ Míng yuē hǎo zài túshūguǎn fǔdǎo,
可是我在图书馆门口等了他半天，他也
kěshì wǒ zài túshūguǎn ménkǒu děng le tā bàntiān, tā yě
没来。
méi lái.

卡伦: 天哪! 对不起，我忘告诉你了。
Kǎlún: Tiān na! Duìbuqǐ, wǒ wàng gàosù nǐ le.

惠美: 什么事?
Huìměi: Shénme shì?

卡伦: 昨天晚上李明给你打电话的时候，你不
Kǎlún: Zuótiān wǎnshang Lǐ Míng gěi nǐ dǎ diànhuà de shíhou, nǐ bú
在，他让我转告你，今天他有事，不能辅导
zài, tā ràng wǒ zhuǎngào nǐ, jīntiān tā yǒu shì, bù néng fǔdǎo
了。
le.

惠美: 什么? 你怎么不早说呢? 让我白等了那么
Huìměi: Shénme? Nǐ zěnme bù zǎo shuō ne? Ràng wǒ bái děng le nàme

161

长时间。
cháng shíjiān.

卡伦： 真对不起，昨天他来电话的时候我正在
Kǎlún: Zhēn duìbuqǐ, zuótiān tā lái diànhuà de shíhou wǒ zhèngzài

洗澡，没来得及记下来。
xǐzǎo, méi láidejí jì xiàlái.

惠美： 多亏你告诉我了，我差一点儿错怪李明。
Huìměi: Duōkuī nǐ gàosù wǒ le, wǒ chàyìdiǎnr cuòguài Lǐ Míng.

卡伦： 都是我不好，你就大人不记小人过吧。
Kǎlún: Dōu shì wǒ bù hǎo, nǐ jiù dàrén bújì xiǎorén guò ba.

惠美： 好了，没事了，李明说没说改成什么时
Huìměi: Hǎo le, méishì le, Lǐ Míng shuō mei shuō gǎi chéng shénme

间了？
shíjiān le?

卡伦： 没说，他会再给你打电话的。
Kǎlún: Méi shuō, tā huì zài gěi nǐ dǎ diànhuà de.

注释 | Notes

162

1. 副词 "差(一)点儿" Adverb "差(一)点儿"

The adverb "差（一）点儿" indicates that something is close to accomplishment or hardly achieved. If it is a thing that the speaker doesn t want it to come true, "差(一)点儿" always indicates that it is closed to accomplishment but is not achieved.

(1) 我差点儿忘了。（意思是几乎忘了，但是没有忘。）

(2) 我差点儿来不了。（意思是几乎来不了了，但是来了。）

If the speaker wants something to be achieved, "差(一)点儿" is used to show regret that it isn't achieved. "差(一)点儿没"is used to felicitate that it has been hardly achieved.

(1) 我差点儿就买到了。（意思是没买到。）

(2) 我差点儿没买到。（意思是买到了。）

2. "大人不记小人过" The great won't calculate wrongs of the wicked

It indicates that a virtuous person will forgive a base person. It is used when a person wants to ask for someone's forgiveness and show his respect.

（1）您就大人不记小人过吧。

（2）请您大人不记小人过，原谅我。

句型操练 | Pattern Drills

1. 他让我转告你，
　今天他有事，
　不能辅导了。
　他让我转告你，
　今天他有事，
　不能……了。

陪你去逛街　　　　去参加晚会　　　　跟你一起吃饭

2. 我差一点儿
　错怪李明。
　我差一点儿……。

迟到　　　　　　丢了护照　　　　　考上哈佛

163

趁热打铁　Strike While the Iron Is Hot

1. 你怎么了？生气了？

3. 天哪，对不起，我忘告诉你了。

5. 他让我转告你，今天他有事，
　不能……了。

7. 都是我不好，……。

2. 别提了，……。

4. 什么事？

6. 什么？你怎么不早说呢？
　让我差一点儿错怪他。

8. 好了，没事了。

第二部分 | Part II

词语 | Words

1.	趟	tàng	(measure word for trips)	4.	口袋	kǒudài	pocket
				5.	翻	fān	to search (in a pocket)
2.	停	tíng	to stop	6.	过意不去	guò yì bú qù	feel sorry
3.	突然	tūrán	suddenly	7.	挂	guà	to hang

课文二 | Text 2

(Scene: Andrew and Mark are chatting, when Mark stood up suddenly looking for his keys.)

安德鲁： 你在找什么呢？
Āndélǔ:　Nǐ zài zhǎo shénme ne?

马克： 我在找卡伦的自行车钥匙。怎么找不到呢？
Mǎkè:　Wǒ zài zhǎo Kǎlún de zìxíngchē yàoshi. Zěnme zhǎo bú dào ne?

安德鲁： 卡伦的钥匙怎么会在你那儿？
Āndélǔ:　Kǎlún de yàoshi zěnme huì zài nǐ nàr?

马克： 今天我去了一趟书店。借她的自行车用了一下儿。回来的时候自行车被我停在她的宿舍楼前边了，突然想起来钥匙还没还给她。可是，钥匙不见了，怎么办呢？
Mǎkè:　Jīntiān wǒ qù le yí tàng shū diàn. Jiè tā de zìxíngchē yòng le yíxiàr. Huílái de shíhou zìxíngchē bèi wǒ tíng zài tā de sùshè lóu qiánbian le, tūrán xiǎng qǐlái yàoshi hái méi huán gěi tā. Kěshì, yàoshi bújiàn le, zěnme bàn ne?

安德鲁： 别着急，你再好好儿找找。
Āndélǔ:　Bié zháojí, nǐ zài hǎohāor zhǎozhao.

马克： 我把口袋都翻遍了也没找到。
Mǎkè:　Wǒ bǎ kǒudài dōu fān biàn le yě méi zhǎo dào.

安德鲁： 那你给她打个电话吧。
Āndélǔ:　Nà nǐ gěi tā dǎ ge diànhuà ba.

164

(Mark is calling Karen by her mobile phone.)

马克： 卡伦，真过意不去，你的自行车钥匙被我
Mǎkè: Kǎlún, zhēn guò yì bú qù, nǐ de zìxíngchē yàoshi bèi wǒ

弄丢了。
nòng diū le.

卡伦： 钥匙在我这儿。我正要给你打电话呢。
Kǎlún: Yàoshi zài wǒ zhèr. Wǒ zhèng yào gěi nǐ dǎ diànhuà ne.

马克： 怎么会在你那儿？
Mǎkè: Zěnme huì zài nǐ nàr?

卡伦： 我从外边回来，看见了我的自行车。我想
Kǎlún: Wǒ cóng wàibian huílái, kànjiàn le wǒ de zìxíngchē. Wǒ xiǎng

你已经回来了。可是，我又一看，钥匙在车
nǐ yǐjīng huílái le. Kěshì, wǒ yòu yí kàn, yàoshi zài chē shàng

上挂着呢。
guà zhe ne.

马克： 唉，我最近怎么总是丢三落四的。
Mǎkè: Āi, wǒ zuìjìn zěnme zǒngshì diū sān là sì de.

注 释 | Notes

1. 动量词 "趟"   **Verbal measure word "趟"**

It is used to measure trips. E.g.

（1）今天我去了一趟书店。

（2）请你来一趟。

（3）那个地方我跑了两趟了。

2. 人称代词或者名词＋这儿／那儿   **Personal pronoun or noun+这儿/那儿**

It is used to indicate location. E.g.

（1）你的东西在我这儿。

（2）我常常去马克那儿跟他聊天。

（3）我要把这些书送到老师那儿。

3. "过意不去"   **Feel sorry about ...**

"过意不去" means that one feels sorry for something.

（1）卡伦，真过意不去，你的自行车钥匙被我弄丢了。

（2）我忘了告诉你这件事了，心里真过意不去。

（3）我有事，去不了，很过意不去。

句型操练 | Pattern Drills

1. 今天我去了一趟书店。
   今天我去了一趟……。

银行　　　　邮局　　　　书店

2. 别着急，你再好好儿找找。
   别着急，你再好好儿……。

看看　　　　想想　　　　检查检查

166

3. 真过意不去，你的
   自行车钥匙被
   我弄丢了。
   真过意不去，……。

你的词典被　　　你的自行车　　　你的照片被
我弄脏了　　　　被我撞坏了　　　我洗坏了

趁热打铁　Strike While the Iron Is Hot

1. 你在找什么呢？
3. 别着急，你再好好儿找找。
5. 我想起来了，你已经还给我了。

2. 我在找你的……。怎么找不到呢？
4. 我可能把你的……弄丢了，真过意不去。

词语扩展 | Vocabulary Extension

离合词

| 毕业 | 见面 | 散步 | 跳舞 |
| bìyè | jiànmiàn | sànbù | tiàowǔ |

听与说 | Listening and Speaking

一 看图回答问题 Look and Answer

他们在做什么？

167

二 双人练习 Pair Work

留学生	老师
你怎么了？生气了？	_____，今天跟辅导约好见面，他没来。
	我等了他半个小时。
天哪，对不起，我忘告诉你了。	什么事儿？
他让我_____你，他今天有事，不能辅导了。	_____？让我白等了这么长时间。
_____，我忘了。	多亏你告诉我了，我差一点_____人家。

A	B
	我在找你的词典呢。怎么找不到呢？
哪本词典？	就是那本《汉英词典》，真过意不去，我好像弄丢了。
那本词典你不是还给我了吗？	
昨天上午还给我的啊。	我想起来了。我昨天要查一个生词，一查完就还给你了。

①②

41 对不起，我忘告诉你了

三　根据实际情况回答问题 Answer the Questions According to Actual Situations

　　1. 你有过失约的经历吗？如果有，为什么失约？

　　2. 你帮别人转告过什么事儿吗？

　　3. 你因为有急事不能赴约，给朋友打电话联系不上，怎么办？

　　4. 在你的国家哪些东西可以借？哪些东西不能借？

读与写 | Reading and Writing

一　把括号中的词填入适当的位置 Put the Words into the Appropriate Places

　　1. 我的书 A 是不是在 B 你 C？　　　　　　（那儿）

　　2. 我 A 去 B 那儿 C 一趟吧。　　　　　　（你）

　　3. 我 A 错怪 B 李明 C 了。　　　　　　　（差点儿）

二　选词填空 Fill in the Blanks

　　1. 我 _____ 忘了带词典。　　　　　　（差点儿，差不多）

　　2. 我去那个饭馆儿吃过一 _____ 饭。　　　（趟，次）

　　3. 我把口袋都翻遍了也 _____ 找到。　　　（没，不）

三　填写并完成对话 Fill in the Blanks and Complete the Conversation

> A：你在找什么呢？
>
> B：我在找卡伦的自行车钥匙。_____？　（怎么）
>
> A：_____？　（那儿）
>
> B：今天我借她的自行车。回来的时候自行车被我停在她的宿舍
> 楼前边了，_____。
>
> 可是，钥匙不见了，怎么办呢？　　　　　　　（突然）
>
> A：别着急，_____。　（好好）
>
> B：_____。　（遍）
>
> A：那你给她打个电话吧。

168

四 朗读短文 Read Aloud

　　我最近总是丢三落四的。昨天晚上李明给惠美打电话的时候，惠美不在，他让我转告惠美，说他今天有事，不能辅导了。昨天他来电话的时候我正在洗澡，没来得及记下来。我忘了告诉惠美了。今天让惠美在图书馆白等了那么长时间，还差一点儿错怪李明。最近丢三落四的还有马克。他借我的自行车去书店，还车的时候，把钥匙忘在车上了。他以为钥匙被他弄丢了，很着急。

　　Wǒ zuìjìn zǒngshì diū sān là sì de. Zuótiān wǎnshang Lǐ Míng gěi Huìměi dǎ diànhuà de shíhou, Huìměi bú zài, tā ràng wǒ zhuǎngào Huìměi, shuō tā jīntiān yǒu shì, bù néng fǔdǎo le. Zuótiān tā lái diànhuà de shíhou wǒ zhèngzài xǐzǎo, méi láidejí jì xiàlái. Wǒ wàng le gàosù Huìměi le. Jīntiān ràng Huìměi zài túshūguǎn bái děng le nàme cháng shíjiān, hái chàyìdiǎnr cuòguài Lǐ Míng. Zuìjìn diū sān là sì de háiyǒu Mǎkè. Tā jiè wǒ de zìxíngchē qù shū diàn, huán chē de shíhou, bǎ yàoshi wàng zài chē shàng le. Tā yǐwéi yàoshi bèi tā nòng diū le, hěn zhāojí.

第42课

看来，你已经习惯
Kàn lái, nǐ yǐjīng xíguàn
这里的生活了
zhèlǐ de shēnghuó le

句子 | Sentences

244 Time flies! It's been half a year since I came to Beijing.

时间过得真快啊，转眼来北京已经
Shíjiān guò de zhēn kuài a, zhuǎnyǎn lái Běijīng
半年多了。
yǐjīng bàn nián duō le.

245 When I had just come here, I wasn't used to anything at all, especially to Chinese food.

刚来的时候，什么都不太习惯，
Gāng lái de shíhou, shénme dōu bú tài xíguàn,
尤其是吃不惯中国菜。
yóuqí shì chī bu guàn Zhōngguó cài.

246 It is mainly because it's too greasy for me to swallow it.

主要是太腻了，油太多，吃不下去。
Zhǔyào shì tài nì le, yóu tài duō, chī bu xiàqù.

247 It seems that you have gotten used to the life here.

看来，你已经习惯这里的生活了。
Kàn lái, nǐ yǐjīng xíguàn zhèlǐ de shēnghuó le.

248 He has never been like this.

他从来不这样。
Tā cónglái bú zhèyàng.

249 Is it because he got up too late?

他是不是起晚了？
Tā shì bu shì qǐ wǎn le?

250 No matter how late he goes to bed, he comes to class on time the next day. 来上课。

他无论睡得多晚，第二天都会准时
Tā wúlūn shuì de duō wǎn, dì èr tiān dōu huì

zhǔnshí lái shàngkè.

251 If it isn't that he forgot to take his mobile phone, then the phone must have run out of power.

不是他忘带手机了，就是他的手机
Bú shì tā wàng dài shǒujī le, jiùshì tā de shǒujī
没电了。
méi diàn le.

170

第一部分 | Part I

词 语 | Words

1.	转眼	zhuǎnyǎn	in an instant	11.	新	xīn	new
2.	习惯	xíguàn	to be used to	12.	胖	pàng	fat
3.	生活	shēnghuó	to live, life	13.	公斤	gōngjīn	kilogram
4.	尤其	yóuqí	especially	14.	心宽体胖	xīn kuān tǐ pán	carefree and contented, fit and happy
5.	惯	guàn	to be used to				
6.	腻	nì	greasy	15.	一年之计在于春，一天之计在于晨		
7.	油	yóu	oil		yì nián zhī jì zàiyú chūn, yì tiān zhī jì zàiyú chén		
8.	中餐	zhōngcān	Chinese meal		the whole year's work depends on a good		
9.	外国	wài guó	foreign		start in spring, the whole day's in the mor-		
10.	出现	chūxiàn	to appear		ning		

171

课文一 | Text 1

(Scene: Mark and Zhang Hua are chatting.)

马克：时间过得真快啊，转眼来北京已经半年多了。
Mǎkè: Shíjiān guò de zhēn kuài a, zhuǎnyǎn lái Běijīng yǐjīng bàn nián duō le.

张华：是啊，来了这么长时间，你已经习惯了这里
Zhāng Huá: Shì a, lái le zhème cháng shíjiān, nǐ yǐjīng xíguàn le zhèlǐ de xuéxí
的学习和生活了吧？
hé shēnghuó le ba?

马克：现在好多了。刚来的时候，什么都不太习惯，
Mǎkè: Xiànzài hǎo duō le. Gāng lái de shíhou, shénme dōu bú tài xíguàn,
尤其是吃不惯中国菜。
yóuqí shì chī bu guàn Zhōngguó cài.

张华：为什么？
Zhāng Huá: Wèishénme?

马克：主要是太腻了，油太多，吃不下去。
Mǎkè: Zhǔyào shì tài nì le, yóu tài duō, chī bu xiàqù.

张华： 中餐是比较油腻，外国人刚来的时候都
Zhāng Huá: Zhōngcān shì bǐjiào yóunì, wàiguó rén gāng lái de shíhou dōu

不太习惯。
bù tài xíguàn.

马克： 现在我越来越喜欢吃中餐了，不过又出现
Mǎkè: Xiànzài wǒ yuè lái yuè xǐhuan chī zhōngcān le, búguò yòu chūxiàn

一个新问题。
yí ge xīn wèntí.

张华： 什么问题？
Zhāng Huá: Shénme wèntí?

马克： 我比刚来的时候胖了五公斤。
Mǎ kè: Wǒ bǐ gāng lái de shíhou pàng le wǔ gōngjīn.

张华： 中国人说"心宽体胖"。看来，你已经习惯这
Zhāng Huá: Zhōngguórén shuō "xīn kuān tǐ pán". Kàn lái, nǐ yǐjīng xíguàn

里的生活了。
zhèlǐ de shēnghuó le.

马克： 可是，我对早上八点开始上课还是不习惯，
Mǎkè: Kěshì, wǒ duì zǎoshang bā diǎn kāishǐ shàngkè háishi bù xíguàn,

太早了。
tài zǎo le.

张华： 你知道吗？"一年之计在于春，一天之计在
Zhāng Huá: Nǐ zhīdào ma? "Yì nián zhī jì zàiyú chūn, yì tiān zhī jì zàiyú

于晨"。早上是学习的最好时间。
chén". Zǎoshang shì xuéxí de zuìhǎo shíjiān.

注释 | Notes

1. "什么"的引申意义 **The extended meaning of "什么"**

Like the interrogative pronoun "哪儿"，"什么" can also be used to express general denotation, and it means anyone or anything. E.g.

（1）我什么都不知道。

（2）刚来的时候，什么都不太习惯。

（3）你什么时候来都可以。

"什么" can also express indefinite denotation, i.e. uncertain, unknown or something that you can't tell.

（1）他一定有什么急事，所以来不了了。

（2）明天是马克的生日，我应该买点儿什么送给他。

（3）你这儿有什么吃的吗？

2. 副词 "尤其"　　Adverb "尤其"

"尤其" indicates that in all the members or when compared to others, something is very special. It's often used in the latter part of a sentence, and is often followed by "是". E.g.

（1）刚来的时候，什么都不太习惯，尤其是吃不惯中国菜。

（2）同学们的进步都很大。尤其是马克。

（3）我喜欢吃中国菜，尤其是鱼香肉丝和烤鸭。

句型操练 | Pattern Drills

1. 刚来的时候，我什么都不太习惯，尤其是吃不惯中国菜。

刚来的时候，我什么都不太习惯，尤其是……不惯……。

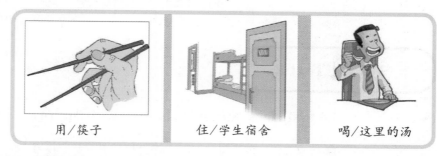

用/筷子　　　　住/学生宿舍　　　　喝/这里的汤

2. 看来，你已经习惯这里的生活了。

看来，……。

你学过法语　　　你今天有什么好事　　　他要迟到了

趁热打铁　Strike While the Iron Is Hot

1. 时间过得真快啊，转眼……。
3. 现在好多了，刚来的时候……。
5. 主要是……。现在我越来越喜欢……。
7. 可是，我对……还不习惯。

2. 是啊，来了这么长时间，你已经习惯这里的学习和生活了吧？
4. 为什么？
6. 看来，你已经习惯了这里的生活了。

173

第二部分 | Part II

词 语 | Words

1.	准时	zhǔnshí	on time	5.	也许	yěxǔ	perhaps
2.	从来	cónglái	never	6.	交通	jiāotōng	traffic
3.	熬夜	áoyè	to stay up	7.	电	diàn	electricity
4.	无论	wúlùn	no matter				

课文二 | Text 2

(Scene: After the first class, Karen is chatting with Andrew.)

安德鲁： 马克怎么还没来呀？他每天上课都很准
Āndélǔ: Mǎkè zěnme hái méi lái ya? Tā měitiān shàngkè dōu hěn zhǔn
时 啊。
shí a

卡 伦： 是 啊。他从来不这样。
Kǎlún: Shì a. Tā cónglái bú zhèyàng.

安德鲁： 已经九点了，看来，他今天不会来了。
Āndélǔ: Yǐjīng jiǔ diǎn le, kàn lái, tā jīntiān bú huì lái le.

卡 伦： 他是不是起晚了？昨天可能熬夜了。
Kǎlún: Tā shì bu shì qǐ wǎn le? Zuótiān kěnéng áoyè le.

安德鲁： 不会的。他无论睡得多晚，第二天都会准
Āndélǔ: Bú huì de. Tā wúlùn shuì de duō wǎn, dì èr tiān dōu huì zhǔn
时 来 上 课。
shí lái shàngkè.

卡 伦： 那他一定有什么急事，来不了了。
Kǎlún: Nà tā yídìng yǒu shénme jí shì, lái bù liǎo le.

安德鲁： 也许吧。
Āndélǔ: Yěxǔ ba.

卡 伦： 是不是路上堵车，他过不来呀？
Kǎlún: Shì bu shì lùshang dǔchē, tā guò bu lái ya?

174

安德鲁：　现在的交通真让人头疼。
Āndélǔ:　Xiànzài de jiāotōng zhēn ràng rén tóuténg.

卡伦：　他应该给我们打个电话。刚才王老师还
Kǎlún:　Tā yīnggāi gěi wǒmen dǎ ge diànhuà. Gāngcái Wáng lǎoshī hái

问，马克为什么没来呢。
wèn, Mǎkè wèishénme méi lái ne.

安德鲁：　我想他一定想给我们打电话，可是……
Āndélǔ:　Wǒ xiǎng tā yídìng xiǎng gěi wǒmen dǎ diànhuà, kěshì……

卡伦：　可是什么？快说呀！
Kǎlún:　Kěshì shénme? Kuài shuō ya!

安德鲁：　不是他忘带手机了，就是他的手机没电了。
Āndélǔ:　Bú shì tā wàng dài shǒujī le, jiùshì tā de shǒujī méi diàn le.

注 释 | Notes

1. 副词"从来"　**Adverb "从来"**

It means "from past till now". Mostly, it is used in negation.

（1）他从来不迟到。

（2）他从来不抽烟，也从来不喝酒。

（3）我从来没去过上海。这次一定要去。

2. 用"是不是"提问　**Questions with "是不是"**

Questions with "是不是" imply that the speaker is almost sure of something but wants a confirmation. "是不是" may be placed before the predicate of a statement, or at the beginning or the end of the sentence; when it is used at the end, a comma should follow the statement.

（1）他是不是起晚了？

（2）是不是你没带词典？

（3）马克不来了，是不是？

3. 无论……都……　**No matter what, how, etc.**

It is a compound sentence structure. "无论" is often followed by a question word that indicates general denotation, or a coordinating part that expresses an alternative relation of choice. And the structure means that the result remains the same under any conditions.

（1）无论做什么工作，他都非常认真。

（2）他无论睡得多晚，第二天都会准时来上课。

（3）无论去不去，都要给我来个电话。

（4）无论刮风还是下雨，他都坚持来上课。

175

句型操练 | Pattern Drills

1. 他从来不这样。
  他从来不……。

抽烟

跳舞

睡懒觉

2. 他无论睡得多晚，第二天都会准时来上课。
  无论……，……都……。

刮风下雨
准时来上课

有什么事
都要去参加姐姐的婚礼

睡得多晚
早上六点起床

3. 不是他忘带手机了，就是他的手机没电了。
  不是……，就是……。

（他没来）
忘了／病了

（你的自行车）
被撞坏了／被借走了

（老师说最近有考试）
今天／明天

趁热打铁　Strike While the Iron Is Hot

1. ……怎么还没来啊？他每天上课都很准时呀。
3. 已经……了，看来，他今天不会来了。
5. 不会的。他无论……，都……。
7. 也许吧。

2. 是啊。他从来不这样。
4. 他是不是起晚了？昨天可能熬夜了。
6. 那他一定有什么急事，来不了了。

词语扩展 | Vocabulary Extension

交 通

交警
jiāojǐng

红绿灯
hónglǜdēng

人行横道
rénxíng héngdào

护栏
hùlán

听与说 | Listening and Speaking

一 看图回答问题 Look and Answer

他怎么了？　　　　他做什么工作？　　　　他们在做什么？

177

二 双人练习 Pair Work

	A	B
①	时间过得真快啊，转眼已经_____了。	是啊。来了这么长时间，你已经习惯了_____吧？
	现在好多了。_____，我什么都不习惯。	什么地方不习惯？
	我特别不习惯用筷子。	那你以前用什么吃饭？
	我们吃西餐，一般用_____。	现在会用筷子了吗？
	现在我不但会用了，而且用得很好。不过……	又怎么了？
	我觉得早上上课的时间太早了。	"_____，_____"。早上是学习的最好时间

	A	B
②	她怎么还没来啊？她每天上课都很准时啊。	是啊。她从来_____。
	已经九点了，看来，_____。	她是不是起晚了？昨天可能_____了。
	不会的。她无论睡得多晚，第二天都会准时来上课。	那她可能有什么急事，来不了了。
	也许吧。我给她打个电话问问看。电话打不通。	不是_____，就是_____。

三 根据实际情况回答问题 Answer the Questions According to Actual Situations

1. 你已经习惯这里的学习和生活了吗？还有什么地方不习惯？
2. 你喜欢吃中国菜吗？都喜欢吃哪些菜？这些菜有什么特点？
3. 你晚上一般几点睡觉？什么时候会熬夜？

读与写 | Reading and Writing

178

一 把括号中的词填入适当的位置 Put the Words into the Appropriate Places

1. 我 **A** 不 **B** 熬夜 **C**。 　　　　　　　（从来）
2. 现在我 **A** 都 **B** 习惯了 **C**。 　　　　　（什么）
3. 考试的事 **A** 我 **B** 头疼 **C**。 　　　　　（让）
4. 中国菜油太多 **A**，我 **B** 吃 **C** 下去。 　　（不）

二 选词填空 Fill in the Blanks

1. 我（　　　　）多忙，都要给爸爸妈妈打电话。 （虽然，无论，不但）
2. 你（　　　　）有什么困难，我都会帮你的。 （虽然，无论，不但）
3. 我昨天（　　　　）熬夜了，今天还是准时来上课了。 （虽然，无论，不但）

三 填写并完成对话 Fill in the Blanks and Complete the Conversation

A：	马克怎么还没来啊？	
B：	是啊。以前_____。	（从来）
A：	已经九点了，_____。	（看来）
B：	_____？昨天可能熬夜了。	（是不是）
A：	不会的。_____。	（无论）

B: 那他一定有什么急事，来不了了。

A: 也许吧。

B: _____，他过不来呀？　　（是不是）

A: 就是，_____。　　（头疼）

四　朗读短文 Read Aloud

　　时间过得真快啊，转眼来北京已经半年多了。刚来的时候，我什么都不太习惯，尤其是吃不惯中国菜。中国菜主要是太腻了，油太多，吃不下去。很多外国人刚来的时候都不太习惯。现在好多了，我已经习惯这里的学习和生活了。我越来越喜欢吃中餐了，不过又出现了一个新问题。我比刚来的时候胖了五公斤。中国人说"心宽体胖"。看来，我真的习惯这里的生活了。可是，我对早上八点开始上课还是不习惯，太早了。我的中国朋友说："一年之计在于春，一天之计在于晨。"早上是学习的最好时间。我想以后我也会习惯早起的。

Shíjiān guò de zhēn kuài a, zhuǎnyǎn lái Běijīng yǐjīng bàn nián duō le. Gāng lái de shíhou, wǒ shénme dōu bú tài xíguàn, yóuqí shì chī bu guàn Zhōngguó cài. Zhōngguó cài zhǔyào shì tài nì le, yóu tài duō, chī bu xiàqù. Hěn duō wàiguó rén gāng lái de shíhou dōu bú tài xíguàn. Xiànzài hǎo duō le, wǒ yǐjīng xíguàn zhèlǐ de xuéxí hé shēnghuó le. Wǒ yuè lái yuè xǐhuan chī zhōngcān le, búguò yòu chūxiàn le yí ge xīn wèntí. Wǒ bǐ gāng lái de shíhou pàng le wǔ gōngjīn. Zhōngguórén shuō: "xīn kuān tǐ pán". kàn lái, wǒ zhēn de xíguàn zhèlǐ de shēnghuó le. Kěshì, wǒ duì zǎoshang bā diǎn kāishǐ shàngkè hǎishi bù xíguàn, tài zǎo le. Wǒ de Zhōngguó péngyou shuō: "yì nián zhī jì zàiyú chūn, yì tiān zhī jì zàiyú chén." Zǎoshang shì xuéxí de zuìhǎo shíjiān. Wǒ xiǎng yǐhòu wǒ yě huì xíguàn zǎo qǐ de.

第 **43** 课

看样子要下雨了

Kàn yàngzi yào xià yǔ le

句子 | Sentences

252	It's getting cloudy and seems to rain.	天阴了，看样子要下雨了。 Tiān yīn le, kàn yàngzi yào xià yǔ le.
253	The wind is rising, and it seems that it will rain heavily.	风也越刮越大，看起来雨会下得很大。 Fēng yě yuè guā yuè dà, kàn qǐlái yǔ huì xià de hěn dà.
254	It starts suddenly and stops suddenly.	来得快去得也快。 Lái de kuài qù de yě kuài.
255	I should bring the umbrella everyday like you.	我以后也应该像你一样，天天带着 Wǒ yǐhòu yě yīnggāi xiàng nǐ yíyàng, tiān tiān 雨伞。 dài zhe yǔsǎn.
256	You don't have to wear thick clothes any longer.	再也不用穿厚厚的衣服了。 Zài yě bú yòng chuān hòuhou de yīfu le.
257	Why is there sand storm in Beijing?	为什么北京会有沙尘暴呢？ Wèishénme Běijīng huì yǒu shāchénbào ne?
258	This is one of the most important reasons why there is sand storm.	这是产生沙尘暴的重要原因之一。 Zhè shì chǎnshēng shāchénbào de zhòngyào yuányīn zhī yī.
259	Beijing was not like this in the past.	原来的北京可不是这样。 Yuánlái de Běijīng kě bú shì zhèyàng.

第一部分 | Part I

词语 | Words

1.	天	tiān	sky	5.	越…越…	yuè…yuè…	the more...the more...
2.	阴	yīn	overcast	6.	起来	qǐlái	beginning or continuing an action
3.	样子	yàngzi	appearance				
4.	刮	guā	(of wind) to blow	7.	预报	yùbào	forecast

8.	晴	qíng	sunny	14.	半路	bànlù	halfway
9.	转	zhuǎn	to turn	15.	肯定	kěndìng	surely, affirmatively
10.	云	yún	cloud	16.	淋	lín	to drench
11.	估计	gūjì	to estimate	17.	落汤鸡	luòtāngjī	like a drenched chicken, soaked through
12.	雷阵雨	léizhènyǔ	thundershower				
13.	教室	jiàoshì	classroom	18.	伞	sǎn	umbrella

课文一 | Text 1

(Scene: Mark is chatting with Andrew in the classroom.)

安德鲁： 马克，你看外边！
Āndélǔ: Mǎkè, nǐ kàn wàibian!

马克： 天阴了，看样子要下雨了。
Mǎkè: Tiān yīn le, kàn yàngzi yào xià yǔ le.

安德鲁： 是啊，风也越刮越大，看起来雨会下得很大。
Āndélǔ: Shì a, fēng yě yuè guā yuè dà, kàn qǐlái yǔ huì xià de hěn dà.

马克： 可是昨天的天气预报说，今天是晴转多云，
Mǎkè: Kěshì zuótiān de tiānqì yùbào shuō, jīntiān shì qíng zhuǎn duōyún,

没说要下雨。
méi shuō yào xià yǔ.

安德鲁： 有时天气预报也不太准。
Āndélǔ: Yǒushí tiānqì yùbào yě bú tài zhǔn.

马克： 估计是雷阵雨，来得快去得也快，要不咱们
Mǎkè: Gūjì shì léizhènyǔ, lái de kuài qù de yě kuài, yàobù zánmen xiān zài

先在教室学习吧，等雨停了再走。
jiàoshì xuéxí ba, děng yǔ tíng le zài zǒu.

安德鲁： 也好，要是在半路上下起雨来，咱们俩肯定
Āndélǔ: Yě hǎo, yàoshi zài bànlù shàng xià qǐ yǔ lái, zánmen liǎ kěndìng bèi

被淋成落汤鸡了。
lín chéng luòtāngjī le.

马克： 你带伞了没有？
Mǎkè: Nǐ dài sǎn le méiyǒu?

安德鲁： 我带着呢。我总把伞放在包里。
Āndélǔ: Wǒ dài zhe ne. Wǒ zǒng bǎ sǎn fàng zài bāo lǐ.

马克： 我以后也应该像你一样，天天带着雨伞。
Mǎkè: Wǒ yǐhòu yě yīnggāi xiàng nǐ yíyàng, tiān tiān dài zhe yǔsǎn.

注 释 | Notes

1. "越……越……" The more ... the more ...

It implies the degree is changing with the change of the circumstances. The formula is "越A越B". E.g.

（1）风越刮越大。

（2）你们的汉语越说越好。

（3）这个电影我越看越喜欢。

2. 名词重叠 Reduplication of nouns

In Chinese, some mono-syllabic nouns can be reduplicated, meaning "every". E.g.

（1）你要天天喝牛奶。（意思是：每天都喝牛奶。）

（2）现在家家有电视、冰箱什么的。（意思是：每一家。）

（3）人人都应该保护环境。（意思是：每个人。）

3. "起来"的引申意义 (2) The extended meaning of "起来"(2)

It indicates that an action begins and continues. E.g.

（1）大家听了他的话，都笑起来了。

（2）他们一见面就聊起天来了。

（3）外边下起雨来了。

182

句型操练 | Pattern Drills

1. 看样子要下雨了。

看样子……。

她不会来了

她刚哭过

他昨天熬夜了

2. 风越刮越大。

……越……越……。

他/学/好

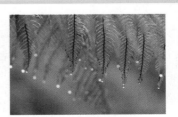
雨/下/大

她/吃/胖

趁热打铁 Strike While the Iron Is Hot

1. 你看外边，天阴了。
3. 可是昨天的天气预报说……。
5. 估计是……。来得快去得也快。
7. 也好，要是在半路上下起雨来，……。

2. 是啊，看样子要下雨了。
4. 有时天气预报也不太准。
6. 要不咱们……，等雨停了再走。

第二部分 | Part II

词 语 | Words

1.	春天	chūntiān	spring	10.	之一	zhī yī	one of the...
2.	厚	hòu	thick	11.	原来	yuánlái	originally, formerly
3.	本来	běnlái	originally	12.	保护	bǎohù	to protect
4.	沙尘暴	shāchénbào	sand storm	13.	举办	jǔbàn	to hold, to conduct
5.	沙子	shāzi	sand	14.	绿色	lǜsè	green, environ-mentally-friendly
6.	环境	huánjìng	environment, circumstance				
7.	破坏	pòhuài	to destroy	15.	治理	zhìlǐ	to govern, to control
8.	产生	chǎnshēng	to come into being				
9.	原因	yuányīn	cause, reason				

专有名词 Proper Nouns

奥运会	Àoyùnhuì	Olympic Games

183

课文二 | Text 2

(Scene: Mark is chatting with Zhang Hua.)

马克:　今年的春天总算来了，天气也越来越暖
Mǎkè:　Jīnnián de chūntiān zǒngsuàn lái le, tiānqì yě yuè lái yuè nuǎnhuo
　　　　和了。
　　　　le.

张华： 是啊，再也不用穿厚厚的衣服了。
Zhāng Huá: Shì a, zài yě bú yòng chuān hòuhou de yīfu le.

马 克： 本来应该很开心的，可是，北京的风太大
Mǎkè: Běnlái yīnggāi hěn kāixīn de, kěshì, Běijīng de fēng tài dà
了。
le.

张华： 你听说过沙尘暴吗？
Zhāng Huá: Nǐ tīngshuō guò shāchénbào ma?

马 克： 听说过，刮风的时候有很多沙子。为什么
Mǎkè: Tīngshuō guò, guāfēng de shíhou yǒu hěn duō shāzi. Wèishénme
北京会有沙尘暴呢？
Běijīng huì yǒu shāchénbào ne?

张华： 环境被破坏得越来越严重，这是产生沙
Zhāng Huá: Huánjìng bèi pòhuài de yuè lái yuè yánzhòng, zhè shì chǎnshēng
尘暴的重要原因之一。原来的北京可不
shāchénbào de zhòngyào yuányīn zhī yī. Yuánlái de Běijīng kě
是这样。
bú shì zhèyàng.

马 克： 那应该怎么办呢？
Mǎkè: Nà yīnggāi zěnme bàn ne?

张华： 要保护环境。环境是我们大家的，我们都
Zhāng Huá: Yào bǎohù huánjìng. Huánjìng shì wǒmen dàjiā de, wǒmen dōu
应该努力。
yīnggāi nǔlì.

马 克： 再说北京还要举办奥运会呢。
Mǎkè: Zàishuō Běijīng hái yào jǔbàn Àoyùnhuì ne.

张华： 是啊。为了办一个绿色奥运会，我们要把
Zhāng Huá: Shì a. Wèile bàn yí ge lǜsè Àoyùnhuì, wǒmen yào bǎ huánjìng
环境治理好。
zhìlǐ hǎo.

注释 | Notes

1. "原来" 和 "本来" **Original; originally**

As an adjective, it means "intrinsic", "original", and can be replaced by "本来". E.g.

（1）这件衣服洗了很多次，看不出原来的颜色了。

（2）几年不见，他还是原来的样子。

（3）我们原来的计划是今天就出发。

As an adverb, it means "in a previous period of time", "originally", and can also be replaced by "本来". E.g.

（1）原来打算一毕业就回国。

（2）我原来没有这么胖。

（3）我原来打算坐出租车的。

It means that one has found something that he did not know before, it cannot be replaced by "本来". It implies a sudden realization. E.g.

（1）教室里一个人也没有，原来今天是星期天。

（2）我以为是卡伦来的电话，原来是惠美打来的。

2. ……之一　One of the ...

It is used after a noun, and indicates one of the things of the same kind.

（1）颐和园是北京有名的公园之一。

（2）卡伦是我们班学习最努力的学生之一。

（3）这是产生沙尘暴的重要原因之一。

句型操练 | Pattern Drills

185

1. 再也不用穿厚厚的衣服了。
   再也不……了。

| 抽烟 | 相信他说的话 | 喝酒 |

2. 这是产生沙尘暴的重要原因之一。
   这是……的重要原因之一。

| 他没通过考试 | 来中国学习 | 回国 |

3. 原来的北京可不是这样。

原来的……可不是这样。

王府井

房间

安德鲁

趁热打铁 *Strike While the Iron Is Hot*

1. 今年的春天总算来了，天气也……。

3. 本来应该很开心的，可是……。

5. 听说过，……。为什么……？

7. 那应该怎么办呢？

2. 是啊。再也不用了……。

4. 你听说过沙尘暴吗？

6. ……，这是产生沙尘暴的重要原因之一。

8. 要……。环境是我们大家的，我们都应该努力。

词语扩展 | Vocabulary Extension

天气预报

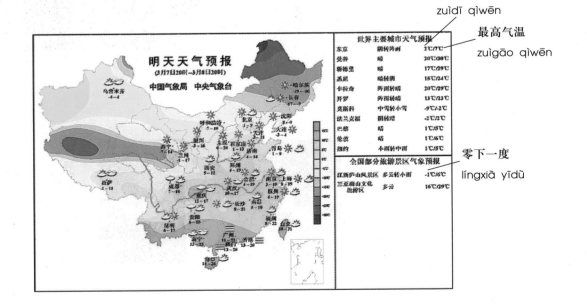

最低气温
zuìdī qìwēn

最高气温
zuìgāo qìwēn

零下一度
língxià yīdù

摄氏度℃（Centigrade）与华氏度°F（Fahrenheit）

摄 氏 度 ＝（华 氏 度 －32）÷1.8

shēshìdù ＝（huāshìdù - 32）×1.8

华 氏 度 ＝32 ＋ 摄 氏 度 ×1.8

huāshìdù ＝ 32 ＋ shēshìdù × 1.8

冰 点：**0 摄 氏 度/ 32 华 氏 度**

bīngdiǎn: 0 shēshìdù/ 32 huāshìdù

体 温：**36.5 摄 氏 度/ 98 华 氏 度**

tǐwēn: 36.5 shēshìdù / 98 huāshìdù

沸 点：**100 摄 氏 度/ 212 华 氏 度**

fēidiǎn: 100 shēshìdù / 212 huāshìdù

听与说 | Listening and Speaking

一　看图回答问题 Look and Answer

请从下图中选择两个城市，说说该城市的天气情况。

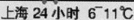

天气 Weather

| 上海 24 小时 6⁻11℃ |

全国部分商务城市 24 小时　　　　单位:℃

北京	晴天	-5⁻4	台北	小雨	17⁻20	广州	小雨	12⁻18
天津	晴天	-5⁻2	海口	阴天	18⁻22	深圳	小雨	15⁻19
成都	阴天	4⁻9	厦门	小雨	13⁻16	香港	小雨	16⁻19
重庆	阴天	8⁻12	青岛	多云	2⁻6	大连	小雪	-5⁻1

全球部分商务城市 24 小时　　　　单位:℃

伦敦	多云	-4⁻2	莫斯科	中雪	-10⁻-5	东京	晴天	2⁻9
巴黎	多云	-4⁻2	纽约	小雨	5⁻10	曼谷	多云	24⁻30
法兰克福	小雪	-4⁻-1	汉城	多云	-7⁻0	新加坡	雷阵雨	25⁻31

上海中心气象台提供数据

二 双人练习 Pair Work

A	B
天阴了，看样子要 _____ 了。	是啊，风也越___越___，看起来雨会下得很大。
可是昨天的天气预报说，今天晴转阴，没说 _____。	有时天气预报 _____。
① 估计是 _____，来得快去得也快。	咱们等雨停了再走吧。
也好，要是在半路上下起雨来，咱们俩肯定被淋成 _____ 了。	
我带着呢，我总把伞放在包里。	我以后也应该天天带着雨伞。

A	B
	今天早上我看天气预报了。
② 今天天气怎么样？会下雨吗？	
最高气温几度？	
最低气温呢？	

三 根据实际情况回答问题 Answer the Questions According to Actual Situations

188

1. 今天的天气情况怎么样？
2. 下雨时你没带雨伞怎么办？
3. 沙尘暴是怎么回事？你有什么解决的好办法？你们国家有沙尘暴吗？

读与写 | Reading and Writing

一 把括号中的词填入适当的位置 Put the Words into the Appropriate Places

1. 长城是中国 **A** 的 **B** 名胜古迹 **C**。　　　　　（之一）
2. 在上课的路上下 **A** 起 **B** 雨 **C** 了。　　　　　（来）
3. 北京 **A** 没有这么多 **B** 沙尘暴 **C**。　　　　　（原来）

二 选词填空 Fill in the Blanks

1. 他一走进教室，同学们就笑 _____ 了。　　　（起来，出来，下来）
2. 你看现在刮 _____ 风来了。　　　　　（起，出，下）
3. 雨下得很大，我都被淋 _____ 落汤鸡了。　（成，到，在）

三 填写并完成对话 Fill in the Blanks and Complete the Conversation

A：天阴了，_____。　　　（看样子）

B：是啊，_____。　　　（越……越……）

_____。　　　（看起来）

A：可是昨天的天气预报说，今天是晴转多云，没说要下雨。

B：_____。　　　（有时）

A：估计是雷阵雨，来得快去得也快，_____，　　　（要不）
等雨停了再走。

B：也好，_____。　　　（要是）

A：你带伞了没有？

B：我带着呢。_____。　　　（总）

A：我以后也应该向你学习，_____。　　　（天天）

四 朗读短文 Read Aloud

　　今年的春天总算来了，天气也越来越暖和了。我们再也不用穿厚厚的衣服了。春天来了，本来应该很开心的，可是，北京的风太大了。有时还有沙尘暴。北京为什么会有沙尘暴呢？现在环境被破坏得越来越严重，这是产生沙尘暴的重要原因之一。原来的北京可不是这样。我们要保护环境。环境是我们大家的，我们都应该努力。再说北京还要举办奥运会呢。为了办一个绿色奥运会，我们要把环境治理好。

189

Jīnnián de chūntiān zǒngsuàn lái le, tiānqì yě yuè lái yuè nuǎnhuo le. Wǒmen zài yě bú yòng chuān hòuhou de yīfu le. Chūntiān lái le, běnlái yīnggāi hěn kāixīn de, kěshì, Běijīng de fēng tài dà le. Yǒushí hái yǒu shāchénbào. Běijīng wèishénme huì yǒu shāchénbào ne? Xiànzài huánjìng bèi pòhuài de yuè lái yuè yánzhòng, zhè shì chǎnshēng shāchénbào de zhòngyào yuányīn zhī yī. Yuánlái de Běijīng kě bú shì zhè yàng. Wǒmen yào bǎohù huánjìng. Huánjìng shì wǒmen dàjiā de, wǒmen dōu yīnggāi nǔlì. Zài shuō Běijīng hái yào jǔbàn Àoyùnhuì ne. Wèile bàn yí ge lǜsè Àoyùnhuì, wǒmen yào bǎ huánjìng zhìlǐ hǎo.

她好像有什么心事

Tā hǎoxiǎng yǒu shénme xīnshì

句子 | Sentences

260 I think she seems to have some concerns.

我觉得她好像有什么心事。
Wǒ juéde tā hǎoxiǎng yǒu shénme xīnshì.

261 I'll talk to her later.

回头我跟她谈谈。
Huítóu wǒ gēn tā tántan.

262 Actually it doesn't matter, just the dictation result is always not good.

其实也没什么，就是听写的成绩
Qíshí yě méi shénme, jiùshi tīngxiě de
总是不好。
chéngjì zǒng shì bù hǎo.

263 The teacher speaks too fast that I can't write it down.

老师念得太快，我写不下来。
Lǎoshī niàn de tài kuài, wǒ xiě bu xiàlái.

264 No wonder I recently saw her practicing writing with great effort all day long.

怪不得最近我看她整天在努力
Guàibude zuìjìn wǒ kàn tā zhěngtiān zài
地练习汉字。
nǔlì de liànxí hànzì.

265 How come Mark didn't show up today?

今天马克怎么没来？
Jīntiān Mǎkè zěnme méi lái?

266 Is there a traffic jam again?

不会又堵车了吧？
Bù huì yòu dǔchē le ba?

267 He has some concerns, doesn't he?

他是不是遇到了什么烦心事？
Tā shì bu shì yù dào le shénme fánxīn shì?

第一部分 | Part I

词语 | Words

1.	课间	kè jiān	break (between classes)	**3.**	开朗	kāilǎng	optimistic
2.	理	lǐ	to pay attention to	**4.**	好像	hǎoxiàng	seem to

5.	心事	xīnshì	worry	**9.**	其实	qíshí	actually, as a matter of fact
6.	回头	huítóu	later	**10.**	担心	dānxīn	to worry
7.	办法	bànfǎ	method, way	**11.**	熟能	shú néng	practice makes perfect
8.	谈	tán	to talk		生巧	shēng qiǎo	

课文一 | Text 1

(Scene: Andrew is chatting with Huimei.)

安德鲁： 惠美，卡伦最近怎么了？
Āndélǔ： Huìměi, Kǎlún zuìjìn zěnme le?

惠美： 没怎么呀，怎么了？
Huìměi： Méi zěnme ya, zěnme le?

安德鲁： 刚才课间我叫她，她不理我，是不是生气了？
Āndélǔ： Gāngcái kè jiān wǒ jiào tā, tā bù lǐ wǒ, shì bu shì shēngqì le?

惠美： 怎么可能呢？卡伦那么开朗，不会生气的。
Huìměi： Zěnme kěnéng ne? Kǎlún nàme kāilǎng, bú huì shēngqì de.

安德鲁： 我觉得她好像有什么心事。回头你问问她，
Āndélǔ： Wǒ juéde tā hǎoxiàng yǒu shénme xīnshì. Huítóu nǐ wènwen tā,
有什么心事说出来，大家一起想想办法！
yǒu shénme xīnshì shuō chūlái, dàjiā yìqǐ xiǎngxiang bànfǎ!

惠美： 好的，回头我跟她谈谈。
Huìměi： Hǎo de, huítóu wǒ gēn tā tántan.

(Karen is chatting with Huimei in the dormitory.)

惠美： 卡伦，你是不是有什么心事？
Huìměi： Kǎlún, nǐ shì bu shì yǒu shénme xīnshì?

卡伦： 咳，其实也没什么，就是听写的成绩总是不
Kǎlún： Hāi, qíshí yě méi shénme, jiùshi tīngxiě de chéngjì zǒng shì bù hǎo,
好，老师念得太快，我写不下来。
lǎoshī niàn de tài kuài, wǒ xiě bu xiàlái.

惠美： 就因为这个啊，别担心，我有好办法。
Huìměi： Jiù yīnwèi zhège a, bié dānxīn, wǒ yǒu hǎo bànfǎ.

卡伦： 真的吗？你有什么好办法？
Kǎlún： Zhēn de ma? Nǐ yǒu shénme hǎo bànfǎ?

惠美： 多练习！
Huìměi： Duō liànxí!

191

卡伦： 这算什么好办法？
Kǎlún: Zhè suàn shénme hǎo bànfǎ?

惠美： 熟能生巧嘛！
Huìměi: Shú néng shēng qiǎo ma!

注释 | Notes

1. **"回头" Later**

It means "later or in a while". E.g.

(**1**) 回头我跟她谈谈。

(**2**) 今天我很忙，这件事我们回头再说。

(**3**) 我先走了，咱们回头见。

2. **"其实" Actually**

It indicates that what follows is true.

(**1**) A：你有什么心事吗？

　　 B：咳，其实也没什么，就是听写的成绩总是不好。

(**2**) 我觉得他是北京人，其实他是杭州人。

(**3**) 有人说汉语很难，其实不难。

句型操练 | Pattern Drills

1. 我觉得她好像有什么心事。

　　我觉得她好像……。

| 很难过 | 有什么好事 | 有点儿困 |

2. 回头我跟她谈谈。

　　回头……。

| 我把钱还给你 | 我借你的自行车用用 | 再聊 |

趁热打铁 Strike While the Iron Is Hot

1. 你最近怎么了?
3. 刚才我叫你, 你不理我, 是不是……?
5. 我觉得你这几天好像有什么心事。
7. 有什么心事说出来, 大家一起想想办法。
9. 就因为这个啊, 别担心, 我有好办法。
11. ……。

2. 没怎么呀, 怎么了。
4. 哪儿啊。我没听见你叫我。
6. 回头我再告诉你吧。
8. 其实也没什么, 就是……。
10. 真的吗? 你有什么好办法?

第二部分 | Part II

词 语 | Words

1.	细心	xìxīn	careful		7.	烦心事	fánxīn shì	something annoying
2.	怪不得	guàibude	no wonder		8.	女孩儿	nǚhāir	girl
3.	整天	zhěngtiān	all day long		9.	敢	gǎn	dare
4.	信心	xìnxīn	confidence		10.	单相思	dānxiāngsī	unrequited love
5.	放心	fàngxīn	to set one's mind at rest, to be at ease		11.	闷	mèn	bored, depressed
					12.	大胆	dàdǎn	courageous
6.	遇到	yù dào	to come across, to run into		13.	追	zhuī	to chase
					14.	呗	bei	(modal particle)

193

课文二 | Text 2

(Scene: Andrew is chatting with Huimei.)

安德鲁: 惠美, 卡伦没什么事儿吧?
Āndélǔ: Huìměi, Kǎlún méi shénme shìr ba?

惠美: 你还真细心, 没什么大事, 就是觉得听写总
Huìměi: Nǐ hái zhēn xìxīn, méi shénme dà shì, jiùshi juéde tīngxiě zǒng xiě

写 不 好。
bu hǎo.

安德鲁: 怪不得最近我看她整天在努力地练习汉字。
Āndélǔ: Guàibude zuìjìn wǒ kàn tā zhěngtiān zài nǔlì de liànxí hànzì.

惠美: 看她的样子，很有信心把汉字学好。
Huìměi: Kàn tā de yàngzi, hěn yǒu xìnxīn bǎ hànzì xué hǎo.

安德鲁: 哦，那我就放心了。
Āndélǔ: Ò, nà wǒ jiù fàngxīn le.

惠美: 对了，今天马克怎么没来? 不会又堵车了吧?
Huìměi: Duì le, jīntiān Mǎkè zěnme méi lái? Bú huì yòu dǔchē le ba?

安德鲁: 他刚才给我发短信，昨晚喝酒了，刚起床。
Āndélǔ: Tā gāngcái gěi wǒ fā duǎnxìn, zuówǎn hē jiǔ le, gāng qǐchuáng.

惠美: 他是不是遇到了什么烦心事?
Huìměi: Tā shì bu shì yù dào le shénme fánxīn shì?

安德鲁: 是啊，他可能有喜欢的女孩儿了，但是又不
Āndélǔ: Shì a, tā kěnéng yǒu xǐhuan de nǔháir le, dànshì yòu bùgǎn shuō

敢说出来，在单相思呢。
chūlái, zài dānxiāngsī ne.

惠美: 那他喝什么闷酒呢? 喜欢就大胆地追呗。
Huìměi: Nà tā hē shénme mèn jiǔ ne? Xǐhuan jiù dàdǎn de zhuī bei.

注释 | Notes

1. **"怪不得" No wonder**

It indicates that one realizes the reason and does not feel strange any more. And in front of "怪不得" or behind it, there is often a clause that indicates the reason.

（1）她觉得自己的听写不好，怪不得最近我看她整天在努力地练习汉字。

（2）下雨了，怪不得这么冷。

（3）怪不得你的汉语说得这么好，原来你在北京住过一年。

（4）怪不得你这么了解他，原来你们是好朋友。

2. **"看样子", "看起来", "看来" It seems ..., it looks as if ...**

It is used to make an estimation about something. E.g.

（1）天阴了，看样子要下雨了。

（2）看样子，她很有信心把汉语学好。

（3）看来，他今天不会来了。

（4）看起来，你这次考试考得不错。

句型操练 | Pattern Drills

1. 今天马克怎么没来？
……怎么没……？

昨天／你／来上课　　　你／告诉他这件事　　　昨天的电影／你／看完就走了

2. 不会又堵车了吧？
不会又……了吧？

迟到　　　　　开始抽烟　　　　丢自行车

3. 他是不是遇到了什么烦心事？
他是不是遇到了什么……事？

好　　　　　　急　　　　　　难

195

趁热打铁　Strike While the Iron Is Hot

1. 你没什么事儿吧？
3. 怎么了？
5. 怪不得我看你最近整天努力学习呢。
7. 看你的样子，这么有信心，肯定没问题。

2. 没什么大事，就是心情不太好。
4. ……。
6. 下次考试我要考好才行。
8. ……。

词语扩展 | Vocabulary Extension

心 理

失恋	寂寞	想家	一见钟情
shīliàn	jìmò	xiǎng jiā	yí jiàn zhōngqíng

听与说 | Listening and Speaking

一 看图回答问题 Look and Answer

他（她）看起来怎么了？

二 双人练习 Pair Work

	A	B
①		没怎么啊，怎么了？
	我觉得你最近好像心情不太好。有什么心事就 _____ 嘛！	我最好的朋友结婚了。
	这是好事啊，你为什么不高兴啊？	结婚以后她很少有时间陪我逛街了。
	你也该结婚了。	_____（什么），我还没有男朋友呢。

	A	B
②	你没什么事儿吧？	没什么大事，就是这次考试没考好。
	怎么没看见你的女朋友呢？	别提了，我 _____ 了。就是因为这个没考好。
	怪不得最近总看见你一个人。	喝醉了才能 _____ 啊。
	别 _____ 了，以后会遇到合适的。	现在好多了，谢谢你。

三 根据实际情况回答问题 **Answer the Questions According to Actual Situations**

1. 如果你有心事的话一般会告诉谁？
2. 你性格开朗吗？
3. 如果你的朋友失恋了，你会怎么安慰他／她？

读与写 | Reading and Writing

一 把括号中的词填入适当的位置 **Put the Words into the Appropriate Places**

1. 你念得太快，我 **A** 写 **B** 下 **C** 来。　　　　　　（不）
2. 他是不是遇到了 **A** 烦心 **B** 事 **C**?　　　　　　（什么）
3. **A** 担心 **B**，我 **C** 有好办法。　　　　　　（别）

二 选词填空 **Fill in the Blanks**

1. 你说得太快，我记不 _____。　　（下来，下去，出来）
2. 这个菜太油了，我吃不_____。　　（下来，下去，出来）
3. 我不是不想告诉你，_____我不知道。　　（其实，尤其）

三 填写并完成对话 **Fill in the Blanks and Complete the Conversation**

A：_____？　　（心事）
B：咳，其实也没什么，_____。　　（就是）
　　_____。　　（不下来）
A：就因为这个啊，_____。　　（别）
B：真的吗？_____？　　（什么）
A：多练习！
B：_____？　　（算）
A：熟能生巧嘛！

四 朗读短文 Read Aloud

不知道卡伦最近怎么了？刚才课间我叫她，她不理我，我觉得她好像有什么心事。我让她的好朋友惠美去问问她，大家一起想想办法帮助她。惠美告诉我，卡伦没什么大事，就是觉得听写总写不好。怪不得最近我看她整天在努力地练习汉字呢。看她的样子，她很有信心把汉字学好。那我就放心了。还有今天马克没来上课。他刚才给我发短信，说昨晚喝酒了，刚起床。他是不是也遇到了什么烦心事？我觉得他可能有喜欢的女孩儿了，但是又不敢说出来，在单相思呢。

Bù zhīdào Kǎlún zuìjìn zěnme le? Gāngcái kè jiān wǒ jiào tā, tā bù lǐ wǒ, wǒ juéde tā hǎoxiàng yǒu shénme xīnshì. Wǒ ràng tā de hǎo péngyou Huìměi qù wènwen tā, dàjiā yìqǐ xiǎngxiang bànfǎ bāngzhù tā. Huìměi gàosu wǒ, Kǎlún méi shénme dà shì, jiùshi juéde tīngxiě zǒng xiě bu hǎo. Guàibude zuìjìn wǒ kàn tā zhěngtiān zài nǔlì de liànxí hànzì ne. Kàn tā de yàngzi, tā hěn yǒu xìnxīn bǎ hànzì xué hǎo. Nà wǒ jiù fàngxīn le. Hái yǒu jīntiān Mǎkè méi lái shàngkè. Tā gāngcái gěi wǒ fā duǎnxìn, shuō zuówǎn hē jiǔ le, gāng qǐchuáng. Tā shì bu shì yě yù dào le shénme fánxīn shì? Wǒ juéde tā kěnéng yǒu xǐhuan de nǚháir le, dànshì yòu bùgǎn shuō chūlái, zài dānxiāngsī ne.

早睡早起身体好

Zǎo shuì zǎo qǐ shēntǐ hǎo

句子 | Sentences

268	Sometimes I go running on the playground, and sometimes I preview the text in the dormitory.	有时候去操场跑跑步，有时侯在 Yǒu shíhou qù cāochǎng pǎopao bù, yǒu 宿舍预习一下儿课文。 shíhou zài sùshè yùxí yíxiàr kèwén.
269	You should change your habits a little bit.	你应该改变一下儿自己的习惯。 Nǐ yīnggāi gǎibiàn yíxiàr zìjǐ de xíguàn.
270	Easier said than done.	说起来容易，做起来就难。 Shuō qǐlái róngyì, zuò qǐlái jiù nán.
271	Early to bed and early to rise makes a man healthy.	早睡早起身体好。 Zǎo shuì zǎo qǐ shēntǐ hǎo.
272	Take my brother for instance, he's smoked for five or six years, so that it is hard to quit.	就拿我哥哥来说吧，他已经吸了 Jiù ná wǒ gēge lái shuō ba, tā yǐjīng xī 五六年烟了，想要戒掉很难。 le wǔliù nián yān le, xiǎng yào jiè diào hěn nán.
273	I haven't drunk it since then.	从那以后我再没喝过。 Cóng nà yǐhòu wǒ zài méi hē guò.
274	In any case, we should get rid of some bad habits.	无论如何，我们还是应该把一些 Wúlùn rúhé, wǒmen háishi yīnggāi bǎ yìxiē 坏习惯改掉。 huài xíguàn gǎi diào.
275	There is a Chinese saying:"One laugh can make you ten years younger."	中国有句话叫"笑一笑，十年少"。 Zhōngguó yǒu jù huà jiào "xiào yi xiào, shí nián shǎo".

199

词语 | Words

1.	精神	jīngshen	energetic	6.	改变	gǎibiàn	to change, to alter
2.	开夜车	kāi yèchē	to burn the midnight oil	7.	步	bù	step
				8.	(记)住	(jì)zhù	to keep firmly in mind
3.	有时候	yǒu shíhou	sometimes				
4.	睁	zhēng	to open (eyes)	9.	早晨	zǎochén	morning
5.	眼	yǎn	eye	10.	醒	xǐng	to wake

课文一 | Text 1

(Scene: Mark is chatting with Zhang Hua.)

马 克：你每天怎么都那么精神呢?
Mǎkè: Nǐ měitiān zěnme dōu nàme jīngshen ne?

张 华：我的生活习惯好啊。
Zhāng Huá: Wǒ de shēnghuó xíguàn hǎo a.

马 克：是什么好习惯?
Mǎkè: Shì shénme hǎo xíguàn?

张 华：早睡早起, 不睡懒觉, 不开夜车。
Zhāng Huá: Zǎo shuì zǎo qǐ, bù shuì lǎnjiào, bù kāi yèchē.

马 克：你早上起来都做些什么呢?
Mǎkè: Nǐ zǎoshang qǐlái dōu zuò xiē shénme ne?

张 华：有时候去操场跑跑步,有时候在宿舍预习
Zhāng Huá: Yǒu shíhou qù cāochǎng pǎopao bù, yǒu shíhou zài sùshè yùxí
一下儿课文。你呢?
yíxiàr kèwén. Nǐ ne?

马 克：我早上一睁眼就得往教室跑。这样还常常
Mǎkè: Wǒ zǎoshang yì zhēngyǎn jiù děi wǎng jiàoshì pǎo. Zhèyàng hái
迟到呢。
chángcháng chídào ne.

张 华：你应该改变一下儿自己的习惯。晚上早一
Zhāng Huá: Nǐ yīnggāi gǎibiàn yíxiàr zìjǐ de xíguàn. Wǎnshang zǎo yìdiǎnr shuì,
点儿睡, 第二天不就可以早一点儿起来吗?
dì èr tiān bù jiù kěyǐ zǎo yìdiǎnr qǐlái ma?

马克：　说起来容易，做起来就难。有时候我也想改变
Mǎkè:　Shuō qǐlái róngyì, zuò qǐlái jiù nán. Yǒu shíhou wǒ yě xiǎng gǎibiàn

一下儿，可是太难了。
yíxiàr, kěshì tài nán le.

张华：　别着急，一步一步地来。记住，早睡早起身
Zhāng Huá:　Bié zháojí, yíbù yíbù de lái. Jìzhù, zǎo shuì zǎo qǐ shēntǐ hǎo.

体好。

马克：　好的。以后你早晨打电话叫醒我吧。
Mǎkè:　Hǎo de. Yǐhòu nǐ zǎochén dǎ diànhuà jiào xǐng wǒ ba.

张华：　没问题。
Zhāng Huá:　Méi wèntí.

注释 | Notes

有时候……有时候……　　**Sometimes...sometimes...**

They can be used separately, and successively. E.g.

（1）有时候我也想改变一下儿。
（2）我早上起来以后有时候去操场跑跑步，有时候在宿舍预习一下儿课文。
（3）周末我有时候在宿舍学习，有时候去外边玩儿。

201

句型操练 | Pattern Drills

1. 我有时候去操场跑跑步，有时候在宿舍预习一下儿课文。

   我有时候……，有时候……。

跟朋友一起去/一个人去　　吃中餐/吃西餐　　在宿舍学习/去图书馆学习

2. 你应该改变一下儿自己的习惯。

   你应该……。

早点儿起床　　自己洗衣服　　把自行车修好

趁热打铁 Strike While the Iron Is Hot

1. 你每天怎么都那么……呢?
3. 是什么……?
5. 我……。
7. 说起来容易，做起来难。有时候……。

2. 我的生活习惯……。
4. ……。
6. 你应该改变一下自己的习惯。
8. 别着急，一步一步地来。

第二部分 | Part II

词 语 | Words

1.	拿…来说	nǎ…lái shuō	to take...as an example	9.	无论如何	wúlùn rúhé	in any case
2.	吸烟	xīyān	to smoke	10.	乐观	lèguān	optimistic
3.	戒	jiè	to quit, to give up	11.	笑一笑，十年少	xiào yi xiào, shínián shào	one laugh can make you ten years younger
4.	掉	diào	to get rid of	12.	饭后百步走，活到九十九	fànhòu bǎi bù zǒu, huó dào jiǔshíjiǔ	walk a hundred steps after a meal and you will live for 99 years
5.	胜利	shènglì	success				
6.	说话算数	shuōhuà suànshù	to honor one's word				
7.	毛病	máobìng	shortcoming	13.	养	yǎng	to form
8.	改正	gǎizhèng	to cure				

课文二 | Text 2

(Scene: Mark is chatting with Andrew.)

马克:　改变习惯可真不容易。
Mǎkè:　Gǎibiàn xíguàn kě zhēn bù róngyì.

安德鲁： 是啊。就拿我哥哥来说吧，他已经吸了五
Āndélǔ: Shì a. Jiù ná wǒ gēge lái shuō ba, tā yǐjīng xī le wǔliù nián
六年烟了，想要戒掉很难。
yān le, xiǎng yào jiè diào hěn nán.

马克： 我有一个朋友也戒过很多次了，都没有
Mǎkè: Wǒ yǒu yí ge péngyou yě jiè guò hěn duō cì le, dōu méiyǒu
成功。
chénggōng.

安德鲁： 还是应该坚持，坚持就是胜利嘛。
Āndélǔ: Háishi yīnggāi jiānchí, jiānchí jiùshi shènglì ma.

马克： 对了，上次吃饭时你说过以后不再喝啤酒
Mǎkè: Duì le, shàng cì chīfàn shí nǐ shuō guò yǐhòu bú zài hē píjiǔ
了，怎么样，还喝吗？
le, zěnmeyàng, hái hē ma?

安德鲁： 我当然说话算数。从那以后我再没喝过。
Āndélǔ: Wǒ dāngrán shuōhuà suànshù. Cóng nà yǐhòu wǒ zài méi hē guò.

马克： 可是，我睡懒觉的毛病还是很难改正。
Mǎkè: Kěshì, wǒ shuì lǎnjiào de máobìng háishi hěn nán gǎizhèng.

安德鲁： 无论如何，我们还是应该把一些坏习惯
Āndélǔ: Wúlùn rúhé, wǒmen háishi yīnggāi bǎ yìxiē huài xíguàn gǎi diào.
改掉。

马克： 对。我们应该不吸烟、不喝酒，早睡早起，保持
Mǎkè: Duì. Wǒmen yīnggāi bù xīyān, bù hē jiǔ, zǎo shuì zǎo qǐ, bǎochí
乐观的精神。
lèguān de jīngshén.

安德鲁： 中国有句话叫"笑一笑，十年少"。
Āndélǔ: Zhōngguó yǒu jù huà jiào "xiào yi xiào, shí nián shào".

马克： 我还知道一句是"饭后百步走，活到九十九"。
Mǎkè: Wǒ hái zhīdào yí jù shì "fàn hòu bǎi bù zǒu, huó dào jiǔshíjiǔ".

安德鲁： 咱们一起努力，养成好的生活习惯吧。
Āndélǔ: Zánmen yìqǐ nǔlì, yǎng chéng hǎo de shēnghuó xíguàn ba.

203

注 释 | Notes

1. "拿……来说" **Take... for instance**

It is used to give an example in a certain aspect. E.g.

（1）改变习惯可真不容易。就拿我哥哥来说吧，他已经吸了五六年烟了，想要戒掉很难。

（2）他考试成绩一直很好，拿这次考试来说吧，综合考了95分。

（3）中国的名胜古迹很多，拿北京来说，就有故宫、长城、颐和园等。

2. 再（也）没／不　**Not... any more**

It indicates that the action will not happen again, or it will not continue. "再" is used to emphasize the negative tone, and often followed by the adverb "也". E.g.

（1）我再也不理你了。

（2）我以后再也不吸烟了。

（3）我们大学毕业以后，就再也没见过面。

3. 无论如何　**No matter what...; in any case**

It indicates that no matter how the conditions change, the result is always the same. It can be used in front of the sentence, or between the subject and the predicate. E.g.

（1）无论如何，我们还是应该把一些坏习惯改掉。

（2）这次比赛我无论如何要参加。

（3）我无论如何要改掉睡懒觉的习惯。

句型操练 | Pattern Drills

1. 从那以后我再没喝过。

从那以后我再没……过……。

吸／烟　　　去／上海　　　见／王老师

2. 无论如何，我们还是应该把一些坏习惯改掉。

无论如何，我们还是应该……。

把房间收拾干净　　通过考试　　告诉她

3. 中国有句话叫"笑一笑，十年少"。

中国有句话叫……。

饭后百步走，
活到九十九　　　一年之计在于春，
一天之计在于晨　　不到长城非好汉

趁热打铁　Strike While the Iron Is Hot

1. 改变习惯可真不容易?
3. 还是应该坚持，坚持就是胜利?
5. 无论如何，我们还是应该把一些坏习惯改掉。

2. 是啊。就拿……来说吧，……。
4. 可是我……的毛病还是很难改正。
6. 对。我们应该……。

词语扩展 | Vocabulary Extension

好习惯

早睡早起　　　　细嚼慢咽　　　　每天吃早餐　　　　坚持锻炼
zǎo shuǐ zǎo qǐ　　xì jiáo màn yàn　　měitiān chī zǎocān　　jiānchí duànliàn

听与说 | Listening and Speaking

一　看图回答问题 Look and Answer

他/她有什么好习惯?　　　　　　他/她有什么不好的习惯?

二 双人练习 Pair Work

	A	B
①	唉，我又胖了。你怎么就不胖呢？	因为我有好习惯啊！
		细嚼慢咽。
		意思就是吃饭的时候别着急，慢慢吃。
	说起来容易，_____。我总是很着急。	别着急，一步一步地来。
	还有什么好方法？	记住一定要_____。
	哎呀，我为了减肥，一般不吃早饭。	这样是不对的。吃早饭对减肥才有帮助呢。

	A	B
②	改变习惯可真不容易。	是啊，就拿我爸爸来说吧。他每天都要喝一瓶白酒。
	我有一个朋友也是这样，想要戒掉很难。	还是应该坚持，_____嘛！
	对了，你说以后不再抽烟了，怎么样，_____？	还没有，等_____ 再说吧。
	为什么要等下个月？	因为我上次买了很多，还没抽完呢。

三 根据实际情况回答问题 Answer the Questions According to Actual Situations

1. 你觉得你有什么好习惯？
2. 你觉得你有什么不好的习惯？
3. 中国有句话叫"笑一笑，十年少"，你们国家有类似的话吗？

读与写 | Reading and Writing

一 把括号中的词填入适当的位置 Put the Words into the Appropriate Places

1. 改变习惯 A 真 B 不 C 容易。 （可）
2. 我早上一 A 睁眼 B 得 C 往教室跑。 （就）
3. 无论 A 你 B 也 C 不能走。 （如何）
4. 从那以后我们 A 再也 B 见过面 C。 （没）

二 选词填空 Fill in the Blanks

1. 做什么事都是说____容易，做____难。 （起来，出来，下来）
2. 我有一个朋友也戒过很多次酒了，都____戒掉。 （没有，不）
3. 人人要养____好的生活习惯。 （做，成，给）
4. 从现在开始，我再也____想见你了。 （没有，不）

三 填写并完成对话 Fill in the Blanks and Complete the Conversation

A：_____？（精神）

B：我的生活习惯好啊。

A：是什么好习惯？

B：_____。（早）

A：你早上起来都做些什么呢？

B：_____。你呢？（有时候……有时候……）

A：我早上一睁眼就得往教室跑。这样还常常迟到呢。

B：_____。（应该）

A：_____。（说起来……做起来……）

B：_____。（一步一步）

四 朗读短文 Read Aloud

改变习惯可真不容易。就拿我哥哥来说吧，他已经吸了五六年烟了，也没有戒掉。我还有一个朋友也戒过很多次了，都没有成功。要想戒烟，就应该坚持，坚持就是胜利。我以前说过以后不再喝啤酒了，我说话算数，从那以后再没喝过。可是马克睡懒觉的毛病还是很难改正。我们觉得，无论如何应该把一些坏习惯改掉。我们应该不吸烟、不喝酒，早睡早起，保持乐观的精神。中国不是有句话叫"笑一笑，十年少"吗？还有一句话不是"饭后百步走，活到九十九"吗？我们要努力，养成好的生活习惯。

Gǎibiàn xíguàn kě zhēn bù róngyì. Jiù ná wǒ gēge lái shuō ba, tā yǐjīng xī le wǔliù nián yān le, yě méiyǒu jiè diào. Wǒ hái yǒu yí ge péngyou yě jiè guò hěn duō cì le, dōu méiyǒu chénggōng. Yào xiǎng jièyān, jiù yīnggāi jiānchí, jiānchí jiùshi shènglì. Wǒ yǐqián shuō guò yǐhòu bú zài hē píjiǔ le, wǒ shuōhuà suànshù, cóng nà yǐhòu zài méi hē guò. Kěshì Mǎkè shuì lǎnjiào de máobìng háishi hěn nán gǎizhèng. Wǒmen juéde, wúlùn rúhé yīnggāi bǎ yìxiē huài xíguàn gǎi diào. Wǒmen yīnggāi bù xīyān, bù hē jiǔ, zǎo shuì zǎo qǐ, bǎochí lèguān de jīngshén. Zhōngguó bú shì yǒu jù huà jiào "xiào yi xiào, shínián shǎo" ma? Hái yǒu yí jù huà bú shì "fàn hòu bǎi bù zǒu, huó dào jiǔshíjiǔ" ma? Wǒmen yào yìqǐ nǔlì, yǎng chéng hǎo de shēnghuó xíguàn.

207

坚持到底就是胜利
Jiānchí dàodǐ jiùshi shènglì

句子 | Sentences

276	We should think of a way that makes everybody happy.	我们应该想想办法，让大家 Wǒmen yīnggāi xiǎngxiang bànfǎ, 高兴高兴。 ràng dàjiā gāoxìng gāoxìng.
277	We'll go out and have fun after the exam.	等考完试了，我们班出去玩儿 Děng kǎo wán shì le, wǒmen bān 一次吧。 chūqù wánr yí cì ba.
278	On the one hand, we can relax a little bit, on the other hand, it can improve the sense of understanding among the classmates.	一方面可以放松放松，另一 Yì fāngmiàn kěyǐ fàngsōng fàngsōng, 方面还可以增进同学们之 lìng yì fāngmiàn hái kěyǐ zēngjìn 间的了解。 tóngxué men zhī jiān de liǎojiě.
279	I've wanted to go out and have fun for a long time.	我早就想出去玩儿了。 Wǒ zǎo jiù xiǎng chūqù wánr le.
280	The exam is finally finished.	终于考完试了。 Zhōngyú kǎo wán shì le.
281	Let's sit down and have a rest.	我们坐下来休息一会儿吧。 Wǒmen zuò xiàlái xiūxi yíhuìr ba.
282	We can't fall behind the others.	我们不能落在别人后面。 Wǒmen bù néng là zài biéren hòumiàn.
283	As long as you stick to it, there is nothing you can't accomplish.	只要坚持，就没有做不到的事。 Zhǐyào jiānchí, jiù méiyǒu zuò bu dào de shì.

208

第一部分 | Part I

词语 | Words

1.	班	bān	class	
2.	不对劲	bú duìjìn	abnormal	
3.	舍不得	shěbude	cannot bear to...	
4.	快乐	kuàilè	happily	
5.	将来	jiānglái	in the future	
6.	美好	měihǎo	nice, beautiful	
7.	回忆	huíyì	memory	
8.	方面	fāngmiàn	side, aspect	

9.	增进	zēngjìn	to promote, to enhance
10.	之间	zhī jiān	between, among
11.	郊外	jiāowài	outskirt, suburb
12.	爬（山）	pá(shān)	to climb (hills)
13.	划（船）	huá(chuán)	to row (a boat)
14.	主意	zhǔyi	idea
15.	组织	zǔzhī	to organize

课文一 | Text 1

(Scene: Mark is chatting with Karen.)

卡伦： 这几天我们班好像有点儿不对劲。
Kǎlún: Zhè jǐ tiān wǒmen bān hǎoxiàng yǒudiǎnr bú duìjìn.

马克： 我也觉得。可能是快要回国了，大家有点
Mǎkè: Wǒ yě juéde. Kěnéng shì kuàiyào huí guó le, dàjiā yǒudiǎnr
儿舍不得。
shěbude.

卡伦： 我们应该想想办法，让大家高兴高兴。
Kǎlún: Wǒmen yīnggāi xiǎngxiang bànfǎ, ràng dàjiā gāoxìng gāoxìng.
大家在一起应该开心地学习，快乐地生活。
Dàjiā zài yìqǐ yīnggāi kāixīn de xuéxí, kuàilè de shēnghuó.

马克： 是呀，应该给将来留下一个美好的回忆。
Mǎkè: Shì ya, yīnggāi gěi jiānglái liú xià yí ge měihǎo de huíyì.

卡伦： 这样好了，等考完试了，我们班出去玩儿
Kǎlún: Zhèyàng hǎo le, děng kǎo wán shì le, wǒmen bān chūqù wánr
一次吧。
yí cì ba.

马克： 好啊，一方面可以放松放松，另一方面还
Mǎkè: Hǎo a, yì fāngmiàn kěyǐ fàngsōng fàngsōng, lìng yì fāngmiàn hái

209

可以增进同学们之间的了解。
kěyǐ zēngjìn tóngxué men zhī jiān de liǎojiě.

卡伦： 最好去郊外，大家一起爬爬山，划划船。
Kǎlún: Zuìhǎo qù jiāowài, dàjiā yìqǐ pápashān, huáhuachuán.

马克： 这个主意不错，我早就想出去玩儿了。
Mǎkè: Zhège zhǔyi búcuò, wǒ zǎo jiù xiǎng chūqù wānr le.

卡伦： 我来组织，你帮助我，怎么样？
Kǎlún: Wǒ lái zǔzhī, nǐ bāngzhù wǒ, zěnmeyàng?

马克： 没问题。说干就干。
Mǎkè: Méi wèntí. Shuō gàn jiù gàn.

注 释 | Notes

1. **"舍不得" Cannot bear to…**

It means someone cherishes something so much that he/she cannot bear to give up or be apart from it, and do not want to dispose or use. It can be used as the predicate, and can be followed by a verb or noun-object. E.g.

（1） 可能是快要回国了，大家有点儿舍不得。

（2） 妈妈舍不得我去外国留学。

（3） 他舍不得买这么贵的东西。

2. **双音节形容词作状语 Bisyllabic adjectives as adverbial**

When it is used as an adverbial, the bisyllabic adjective is often followed by 　"地". But when the adjective and the verb it modifies are very closely combined, "地" can be omitted.

（1） 大家在一起应该开心地学习，快乐地生活。

（2） 希望你努力地学习，愉快地生活。

（3） 他认真（地）考虑了这个问题。

3. **"一方面……另一方面……" On the one hand… on the other hand…**

"一方面" and "另一方面" are correlative words. They join two coordinating and correlative things, or the two sides of one thing. In the subordinate sentence, the adverb "又"，"还" or is often used. "另" can be omitted.

（1） 我们班出去玩儿一次吧，一方面可以放松放松，另一方面还可以增进同学们之间的了解。

（2） 我们应该多参加这种汉语活动，一方面可以多认识中国朋友，一方面也可以提高汉语水平。

（3） 晚睡晚起不太好，一方面第二天上课容易迟到，另一方面对身体也不好。

句型操练 | Pattern Drills

1. 等**考完**试了，我们**班出去玩儿一次**吧。
   等……了，我们……吧。

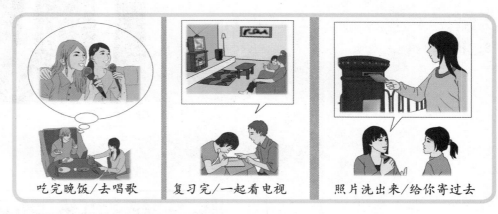

吃完晚饭/去唱歌　　复习完/一起看电视　　照片洗出来/给你寄过去

2. 一方面**可以放松放松**，另一方面**还可以增进同学们之间的了解**。
   一方面……，另一方面……。

在中国旅游/可以看风景/可　　大家都不来上课/这门课　　骑自行车/可以锻炼身
以了解中国文化　　　　　　比较难/老师教得也不好　　体/可以保护环境

3. 我早就想**出去玩儿**了。
   我早就想……了。

学习汉语　　　　　看这部电影　　　　　租房子

趁热打铁   Strike While the Iron Is Hot

1. 这几天我们班好像有点儿不对劲。

3. 我们应该想办法，让大家……。

5. 这样好了，等考试完了，……。

7. 最好去……。

9. 我来组织，……，怎么样？

2. 我也觉得，可能是……。

4. 是啊，应该给将来……。

6. 好啊。一方面……，另一方面……。

8. 这个主意不错，我早就想出去玩儿了。

10. 没问题，说干就干。

第二部分 | Part II

词 语 | Words

1.	缆车	lǎn chē	cable car	**6.**	后面	hòumiàn	behind
2.	心情	xīnqíng	mood	**7.**	喘气	chuǎnqì	to breathe deeply
3.	爱	ài	to like, to love	**8.**	山顶	shāndǐng	peak, mountaintop
4.	动	dòng	to move	**9.**	只要	zhǐyào	as long as
5.	到底	dàodǐ	till the end	**10.**	所以	suǒyǐ	so, therefore

11.   世上无难事，只怕有心人   shìshàng wū nánshì, zhǐ pà yǒuxīnrén

nothing in the world is difficult for one who sets his mind on it

课文二 | Text 2

(Scene: Huimei and Karen are climbing the hill together.)

惠美：   卡伦，咱们怎么上山？爬上去还是坐缆车
Huìměi: Kǎlún, zánmen zěnme shàngshān? Pá shàngqù háishi zuò lǎn chē

上去？
shàngqù?

卡伦：   当然是爬上去了。我们可以一边爬山一边
Kǎlún: Dāngrán shì pá shàngqù le. Wǒmen kěyǐ yìbiān pá shān yìbiān

照相。走吧。
zhàoxiàng. Zǒu ba.

惠美：好。今天天气真好，风景也不错。
Huìměi: Hǎo. Jīntiān tiānqì zhēn hǎo, fēngjǐng yě búcuò.

卡伦：现在的心情更好。终于考完试了。
Kǎlún: Xiànzài de xīnqíng gèng hǎo. Zhōngyú kǎo wán shì le.

惠美：你这次考得不错吧。
Huìměi: Nǐ zhè cì kǎo de búcuò ba.

卡伦：比上次好多了。我觉得汉语越学越有意思，
Kǎlún: Bǐ shàng cì hǎo duō le. Wǒ juéde Hànyǔ yuè xué yuè yǒu yìsi,
我越学越爱学。
wǒ yuè xué yuè ài xué.

惠美：我也是。我有点儿累了，爬不动了，我们坐
Huìměi: Wǒ yě shì. Wǒ yǒudiǎnr lèi le, pá bu dòng le, wǒmen zuò
下来休息一会儿吧。
xiàlái xiūxi yíhuìr ba.

卡伦：坚持一下儿。坚持到底就是胜利。我们不
Kǎlún: Jiānchí yíxiàr. Jiānchí dàodǐ jiùshi shènglì. Wǒmen bù néng là
能落在别人后面。
zài biéren hòumiàn.

惠美：我真的爬不动了，都喘不过气来了。
Huìměi: Wǒ zhēn de pá bu dòng le, dōu chuǎn bú guò qì lái le.

卡伦：你看，安德鲁他们已经爬到山顶了。
Kǎlún: Nǐ kàn, Āndélǔ tāmen yǐjīng pá dào shāndǐng le.

惠美：是吗？那我们也快往上爬吧。你说得对。只
Huìměi: Shì ma? Nà wǒmen yě kuài wǎng shàng pá ba. nǐ shuō de
要坚持，就没有做不到的事。
duì. Zhǐyào jiānchí, jiù méiyǒu zuò bu dào de shì.

卡伦：学习汉语也一样。所以中国人常常说"世
Kǎlún: Xuéxí Hànyǔ yě yíyàng. Suǒyǐ Zhōngguórén chángcháng shuō
上无难事，只怕有心人"。
"shìshàng wú nánshì, zhǐ pà yǒuxīnrén".

注释 | Notes

1. **V＋得/不＋动**
This phrase indicates whether the action can make something or somebody move. E.g.

（1）我有点儿累了，爬不动了。

（2）我累了，走不动了。

（3）这张桌子我一个人搬不动。

2. "过来"的引申意义　**The extended meaning of** "过来"

This phrase indicates that somebody or something returns to the original, normal, or better state.

（1）他醒过来了。

（2）我累得喘不过气来。

（3）他把不好的习惯改过来了。

3. "只要……就……" **As long as...**

It is used in a conditional compound sentence. "只要" introduces the condition; what follows "就" is the result this condition brings about. E.g.

（1）只要你跟他说，他就会帮助你。

（2）只要多听多说多练，就一定能把汉语学好。

（3）只要你努力，就一定能成功。

句型操练 | Pattern Drills

1. 终于考完试了。

终于……了。

来　　　　　　通过考试　　　　　爬到山顶

2. 只要坚持，就没有做不到的事。

只要……，就……。

认真/没有困难的事　　你愿意做/没有做不好的事　　你听过王老师的课/会觉得汉语真有意思

趁热打铁　Strike While the Iron Is Hot

1. 咱们怎么上山？……还是……？
3. 好。今天天气真好，风景也……。
5. 你这次考得不错吧？
7. 我有点儿累了，……了。
9. 现在好多了，接着爬吧。

2. 当然是……了。我们可以……。
4. 现在的心情更好。终于考完试了。
6. 比上次好多了。我觉得汉语……。
8. 咱们坐下来……吧。
10. 好，加油！坚持到底就是胜利！

词语扩展 | Vocabulary Extension

山

山顶
shāndǐng

山腰
shānyāo

山坡
shānpō

山脚
shānjiǎo

中国五岳名山

东岳泰山
dōng yuè Tài Shān

西岳华山
xī yuè Huà Shān

南岳衡山
nán yuè Héng Shān

北岳恒山
běi yuè Héng Shān

中岳嵩山
zhōng yuè Sōng Shān

215

> ### 听与说 | Listening and Speaking

一　看图回答问题　Look and Answer

这是什么地方？　　　　　　　　　他们爬到华山的山顶了吗？

二　双人练习　Pair Work

A	B
① 这几天我们班好像有点儿 _____。	我也觉得。可能是快要回国了，大家有点儿舍不得。
我们应该想想办法，让大家 _____。	是呀，应该给将来留下一个_____。
这样好了，等考完试了，我们班出去玩儿一次吧。	好啊，一方面可以 _____，另一方面还可以 _____。
最好去泰山，大家一起爬爬山。	这个主意 _____，我早就想去泰山了。
我来组织，你帮助我，怎么样？	没问题。说 _____ 就 _____。

A	B
② 咱们怎么上山？爬上去还是 _____ _____ 上去？	当然是爬上去了，一方面可以照相，另一方面还可以锻炼身体。
走吧。今天天气 _____，风景也不错。	现在的心情更好，终于考完试了。
你这次考得怎么样？	比上次好，我觉得汉语越学越有意思了。
我累了，爬不 _____了，咱们坐 _____ 休息休息吧。	我们现在在山腰，才爬了一半。
现在好多了，咱们接着爬吧。	好，再坚持一下，很快就要爬到山顶了。

三 根据实际情况回答问题 Answer the Questions According to Actual Situations

1. 你坐过缆车吗？在什么地方坐的？

2. 你喜欢爬山吗？为什么？

3. 你小学或中学毕业时，班里有什么活动，给你留下了美好的回忆？

4. 中国有句话叫"坚持到底就是胜利"，你们国家有类似的话吗？

读与写 | Reading and Writing

一 把括号中的词填入适当的位置 Put the Words into the Appropriate Places

1. 你 **A** 要 **B** 努力 **C** 学习。 （地）

2. 我 **A** 累得 **B** 爬 **C** 动了。 （不）

3. 只要坚持，**A** 没有 **B** 做不到的事 **C**。 （就）

4. 我真的爬不动了，都喘 **A** 不 **B** 气来 **C** 了。 （过）

二 选词填空 Fill in the Blanks

1. ＿＿＿＿努力学习，就能考好。 （只要，只有）

2. 我这次考得 ＿＿＿＿ 上次好多了。 （比，把，不如）

3. 我们要快乐 ＿＿＿ 生活。 （的，得，地）

217

三 填写并完成对话 Fill in the Blanks and Complete the Conversation

A：咱们怎么上山？＿＿＿＿＿＿＿？	（还是）
B：当然是爬上去了。＿＿＿＿＿＿。	（一边……一边……）
A：好。今天天气真好，风景也不错。	
B：现在的心情更好。＿＿＿＿＿＿。	（终于）
A：你这次考得不错吧？	
B：比上次好多了。我觉得 ＿＿＿＿＿＿。	（越……越……）
A：我也是。我有点儿累了，＿＿＿＿＿＿。	（不动）
我们坐下来休息一会儿吧。	
B：坚持一下儿。坚持到底就是胜利，＿＿＿＿。	（落）
A：我真的爬不动了，＿＿＿＿＿＿。	（都……了）
B：你看，安德鲁他们已经爬到山顶了	
A：是吗？那我们也快往上爬吧。你说得对，	
＿＿＿＿＿＿。	（只要……就……）

四 朗读短文 Read Aloud

这几天我们班好像有点儿不对劲，可能是因为快要回国了，大家有点儿舍不得。我们应该想想办法，让大家高兴高兴。我觉得大家在一起应该开心地学习，快乐地生活，应该给将来留下一个美好的回忆。我们想，等考完试了，我们班去郊外玩儿一次。一方面可以放松放松，另一方面还可以增进同学们之间的了解。卡伦也觉得这个主意不错。她来组织，我来帮助她。

Zhè jǐ tiān wǒmen bān hǎoxiàng yǒudiǎnr bú duìjìn, kěnéng shì yīnwèi kuàiyào huí guó le, dàjiā yǒudiǎnr shěbude. Wǒmen yīnggāi xiǎngxiang bànfǎ, ràng dàjiā gāoxìng gāoxìng. Wǒ juéde dàjiā zài yìqǐ yīnggāi kāixīn de xuéxí, kuàilè de shēnghuó, yīnggāi gěi jiānglái liú xià yí ge měihǎo de huíyì. Wǒmen xiǎng, děng kǎo wán shì le, wǒmen bān qù jiāowài wánr yí cì. Yì fāngmiàn kěyǐ fàngsōng fàngsōng, lìng yì fāngmiàn hái kěyǐ zēngjìn tóngxué men zhī jiān de liǎojiě. Kǎlún yě juéde zhège zhǔyi búcuò. Tā lái zǔzhī, wǒ lái bāngzhù tā.

第 **47** 课

你的汉语进步真大

Nǐ de Hànyǔ jìnbù zhēn dà

句子 | Sentences

284 You didn't see me because I sat in the back.

我坐在后面，你可能看不到。
Wǒ zuò zài hòumiàn, nǐ kěnéng kàn bu dào.

285 You've made a really great progress in Chinese.

你的汉语进步真大。
Nǐ de Hànyǔ jìnbù zhēn dà.

286 Even Chinese can't make out that you're a foreigner when they listen to you.
wàiguó rén.

连中国人都听不出来你是外国人。
Lián Zhōngguórén dōu tīng bu chūlái nǐ shì

287 Thanks to your help, I've made rapid progress in Chinese.

因为有了你的帮助，所以我的汉语才
Yīnwèi yǒu le nǐ de bāngzhù, suǒyǐ wǒ de
进步得这么快。
Hànyǔ cái jìnbù de zhème kuài.

288 You have to stick to learning Chinese when you go back to your country. Be sure not to neglect it.

回国以后还要坚持学习，千万别扔了。
Huí guó yǐhòu hái yào jiānchí xuéxí, qiānwàn
bié rēng le.

289 I come to say good-bye to you. Thank you for your teaching during the previous year.

我来向您辞行，谢谢您一年来的教诲。
Wǒ lái xiàng nín cíxíng, xièxie nín yì nián lái
de jiàohuì.

290 Thank you for flattering me.

谢谢您的夸奖。
Xièxie nín de kuājiǎng.

291 I think you can surely become an excellent expert in the Chinese language in the future.

我想你以后一定会成为一名出色的
Wǒ xiǎng nǐ yǐhòu yídìng huì chéngwéi yì
汉语专家。
míng chūsè de Hànyǔ zhuānjiā.

292 I really hate to see you leave.

真舍不得你们走。
Zhēn shěbude nǐmen zǒu.

第一部分 | Part I

词 语 | Words

1.	主持	zhǔchí	to preside over, to host		8.	朗诵	lǎngsòng	to read aloud with expression, recitation
2.	进步	jìnbù	to make progress		9.	诗	shī	poem
3.	连…都…	lián…dōu…	even...		10.	夸奖	kuājiǎng	to praise
4.	过奖	guòjiǎng	to overpraise		11.	千万	qiānwàn	to be sure (not)
5.	实话	shíhuà	truth		12.	扔	rēng	to throw
6.	唱歌	chàng gē	to sing (a song)		13.	故乡	gùxiāng	hometown
7.	相声	xiàngsheng	comic dialogue, cross talk					

课文一 | Text 1

220

(Scene: Mark and Zhang Hua are chatting.)

马克: 昨天我主持的晚会你去了吗?
Mǎkè: Zuótiān wǒ zhǔchí de wǎnhuì nǐ qù le ma?

张华: 当然去了。
Zhāng Huá: Dāngrán qù le.

马克: 我怎么没看到你啊?
Mǎkè: Wǒ zěnme méi kàn dào nǐ a?

张华: 我坐在后面,你可能看不到。
Zhāng Huá: Wǒ zuò zài hòumiàn, nǐ kěnéng kàn bu dào.

马克: 我主持得怎么样?
Mǎkè: Wǒ zhǔchí de zěnmeyàng?

张华: 你的汉语进步真大。发音、声调都很标准。
Zhāng Huá: Nǐ de Hànyǔ jìnbù zhēn dà. Fāyīn, shēngdiào dōu hěn biāozhǔn.
连中国人都听不出来你是外国人。
Lián Zhōngguórén dōu tīng bu chūlái nǐ shì wàiguó rén.

马克: 真的吗?你过奖了。
Mǎkè: Zhēn de ma? Nǐ guòjiǎng le.

张华： 我说的是实话。卡伦唱的中文歌，安德鲁
Zhāng Huá: Wǒ shuō de shì shíhuà. Kǎlún chàng de Zhōngwén gē, Āndélǔ hé
和你说的相声，惠美朗诵的诗都不错。
nǐ shuō de xiàngsheng, Huìměi lǎngsòng de shī dōu búcuò.

马克： 听到你的夸奖我太高兴了。不过我也要谢
Mǎkè: Tīng dào nǐ de kuājiǎng wǒ tài gāoxìng le. Búguò wǒ yě yào
谢你。因为有了你的帮助，所以我的汉语才
xièxie nǐ. Yīnwèi yǒu le nǐ de bāngzhù, suǒyǐ wǒ de Hànyǔ
进步得这么快。
cái jìnbù de zhème kuài.

张华： 主要是你自己努力。回国以后还要坚持
Zhāng Huá: Zhǔyào shì nǐ zìjǐ nǔlì. Huí guó yǐhòu hái yào jiānchí xuéxí,
学习，千万别扔了。
qiānwàn bié rēng le.

马克： 不会的。不过我很快就会回北京的。这儿已
Mǎkè: Bú huì de. Búguò wǒ hěn kuài jiù huì huí Běijīng de. Zhèr yǐ-
经成了我的第二故乡了。
jīng chéng le wǒ de dì èr gùxiāng le.

221

注释 | Notes

1. "连……都／也……" **Even...**

This structure expresses an emphatic tone. The preposition "连" introduces the emphasized part, which is followed by "都" or "也". The structure implies even the emphasized is so, you don't have to mention the others.

① To emphasize the subject. E.g.

（1）连中国人都听不出来你是外国人。（别的国家的人更听不出来了。）

（2）连孩子都知道这件事。（他是个大人，当然知道了。）

② To emphasize the object. E.g.

（1）他来北京快一年了，连长城也没有去过。（别的的地方更没有去过了。）

（2）我连这个人的名字都没听说过。（我当然不认识他了。）

2. "因为……所以……" **Because... (so/therefore...)**

It is used in a cause-effect compound sentence. "因为" introduces the cause, and "所以" the result. E.g.

（1）因为有了你的帮助，所以我的汉语才进步得这么快。

（2）因为不太舒服，所以我没去上课。

（3）因为天气不好，所以我哪儿也没去。

3. 副词"千万"　Adverb "千万"

The adverb "千万" means "be sure (not)". It is used to urge someone. It is usually followed by "要", "别", or "不要". E.g.

(1) 回国以后还要坚持学习，千万别扔了。

(2) 千万要记住，给我打电话。

(3) 千万不要忘了带护照。

句型操练 | Pattern Drills

1. 连中国人都听不出来你是外国人。

连……都……。

| 一个汉字/不认识 | 星期天/不能休息 | 老师/看不懂 |

2. 因为有你的帮助，所以我的汉语才进步得这么快。

因为……，所以……。

| 我对汉语非常感兴趣/来中国学习 | 我想减肥/每天坚持锻炼一个小时。 | 我们要治理沙尘暴/要多种树。 |

3. 回国以后还要坚持学习，千万别扔了。

……，千万别……。

| 那个地方很危险/去 | 这是秘密/告诉别人 | 在地铁站里/吸烟 |

趁热打铁　Strike While the Iron Is Hot

1. 昨天……你去了吗？

3. 我怎么没看到你啊？

5. 我……得怎么样。

7. 听到你的夸奖我太高兴了。我也要谢谢你，因为……，所以……。

2. 当然去了。

4. 我坐在后面，你可能看不到。

6. ……。

8. 主要是你自己……。要继续努力啊！

第二部分 | Part II

词语 | Words

1.	辞行	cíxíng	to say good-bye to sb.	8.	出色	chūsè	outstanding
2.	…来	…lái	ever since	9.	专家	zhuānjiā	expert
3.	教诲	jiàohuì	edification	10.	知识	zhīshi	knowledge
4.	…通	…tōng	specialist, expert	11.	亲戚	qīnqi	relative
5.	继续	jìxù	to continue	12.	希望	xīwàng	hope, wish, expect
6.	挣	zhèng	to earn	13.	家人	jiārén	family member
7.	研究生	yánjiūshēng	graduate student	14.	联系	liánxì	to contact

课文二 | Text 2

(Scene: Mark comes to say good-bye to Mrs. Wang.)

马克：　王老师，下周我就要回国了，我来向您辞行，
Mǎkè:　Wáng lǎoshī, xià zhōu wǒ jiù yào huí guó le, wǒ lái xiàng nín cí
　　　　谢谢您一年来的教诲。
　　　　xíng, xièxie nín yì nián lái de jiàohuì.

王老师：哪里。你太客气了。你的汉语进步真快，都
Wáng lǎoshī:　Nǎlǐ. Nǐ tài kèqi le. Nǐ de Hànyǔ jìnbù zhēn kuài, dōu kuài
　　　　快成"中国通"了。
　　　　chéng "Zhōngguó tōng" le.

马克：　谢谢您的夸奖。我会继续努力的。
Mǎkè:　Xièxie nín de kuājiǎng. Wǒ huì jìxù nǔlì de.

王老师：回国以后你有什么打算？
Wáng lǎoshī:　Huí guó yǐhòu nǐ yǒu shénme dǎsuàn?

马克：　我想先工作一段时间，挣些钱，然后来北
Mǎkè:　Wǒ xiǎng xiān gōngzuò yí duàn shíjiān, zhèng xiē qián, ránhòu lái Běijīng
　　　　京念研究生。
　　　　niàn yánjiūshēng.

王老师: 那太好了。我想你以后一定会成为一名
Wáng lǎoshī: Nà tài hǎo le. Wǒ xiǎng nǐ yǐhòu yídìng huì chéngwéi yì míng

出色的汉语专家。
chūsè de Hànyǔ zhuānjiā.

马克: 谢谢您。您不但教会了我们汉语知识，而
Mǎkè: Xièxie nín. Nín búdàn jiāo huì le wǒmen Hànyǔ zhīshi, érqiě hái

且还教会了我们学习汉语的方法。
jiāo huì le wǒmen xuéxí Hànyǔ de fāngfǎ.

王老师: 这是我应该做的。真舍不得你们走。
Wáng lǎoshī: Zhè shì wǒ yīnggāi zuò de. Zhēn shěbude nǐmen zǒu.

马克: 我们也是。这次回国我要跟我的亲戚朋友
Mǎkè: Wǒmen yě shì. Zhè cì huí guó wǒ yào gēn wǒ de qīnqi péngyou

介绍我看到的中国，希望他们都能来中国
jièshào wǒ kàn dào de Zhōngguó, xīwàng tāmen dōu néng lái

看看。
Zhōngguó kànkan.

王老师: 回国以后向你的家人问好，也希望我们常
Wáng lǎoshī: Huí guó yǐhòu xiàng nǐ de jiārén wènhǎo, yě xīwàng wǒmen cháng

联系。
liánxì.

马克: 我会的，谢谢您。
Mǎkè: Wǒ huì de, xièxie nín.

注释 | Notes

1. "……来"　　**During, over the past...**

"来"，also "以来" expresses a period from a certain time in the past to the present or the time specified. E.g.

（1）我来向您辞行，谢谢您一年来的教诲。

（2）这一年来，你给了我很多帮助。谢谢你。

（3）几天来，天气一直很热。

2. "中国通"　　**China expert**

We call those who know China very well "中国通". E.g.

（1）你真是个"中国通"。

（2）同学们都叫我"中国通"。

（3）你的汉语进步真快，都快成"中国通"了。

3. "向……问好" **Say hello to...**

"问好" means greeting someone, and showing care. The preposition "向" is often used to introduce the object of greeting. E.g.

（**1**）回国以后向你的家人问好。

（**2**）替我向你的父母问好。

（**3**）她在信中向你问好。

句型操练 | Pattern Drills

1. 我想你以后一定会成为一名出色的汉语专家。

我想你以后一定会成为一名出色的……。

导游　　　教授

2. 真舍不得你们走。

真舍不得你们……。

出国　　　离开　　　回国

趁热打铁 Strike While the Iron Is Hot

1. 下周我就要回国了，我来向你辞行。

3. 谢谢你……来的帮助。

5. 我想……。

7. 谢谢你。

2. 我真舍不得你走。

4. 你太客气了。回国后有什么打算?

6. 那太好了，我想你以后一定……。

8. 回国以后向你的家人问好。常联系!

225

词语扩展 | Vocabulary Extension

中国学历

博士研究生(3年)

bóshì yánjiūshēng (sān nián)

硕士研究生(3年)

shuòshì yánjiūshēng (sān nián)

大学(4~5年)

dàxué (sì—wǔ nián)

中学(6~7年)

zhōngxué (liù—qī nián)

小学(5~6年)

xiǎoxué (wǔ—liù nián)

226

听与说 | Listening and Speaking

一 看图回答问题 Look and Answer

他们是什么学历?

二 双人练习 Pair Work

A	B
昨天我表演的节目你去看了吗？	
我怎么没看到你啊？	我坐在后面，你可能＿＿＿＿＿＿＿＿。
我表演得怎么样？	你演得太好了，刚开始连我都没认出来你是谁。
真的吗？你＿＿＿＿＿＿。	我说的是实话。我想你以后一定会成为一名出色的演员。
谢谢你。因为有你的帮助，所以我进步很快。	主要是你自己努力。

①

留学生	老 师
老师，明天我就要回国了。我来向您＿＿＿＿＿＿＿＿。	是吗？这么快！真舍不得你走。
谢谢您一年来的＿＿＿＿＿＿＿＿。	你的汉语进步很快，都快成"中国通"了。
谢谢您的＿＿＿＿＿，我会继续努力的。	回国以后＿＿＿＿＿＿＿＿＿＿？
我想先回国看父母，然后来北京工作。	那太好了。我想你以后一定会在中国找到好工作的。
谢谢您。我以后会回来看您的。	回国后向你的家人＿＿＿＿＿＿＿。

②

227

三 根据实际情况回答问题 Answer the Questions According to Actual Situations

1. 你会用中文表演什么节目？
2. 你最近有什么打算？
3. 出国留学的时候你会向谁辞行？
4. 你的故乡在哪儿？你有第二故乡吗？

读与写 | Reading and Writing

一 把括号中的词填入适当的位置 Put the Words into the Appropriate Places

1. 谢谢您 A 一 B 年 C 对我的帮助。 （来）
2. A 别 B 忘了 C 给我写信。 （千万）
3. 连 A 中国人 B 听 C 不出来你是外国人。 （都）

二 选词填空 Fill in the Blanks

1. 请替我＿＿＿＿＿她问好。 （向，给，对）
2. ＿＿＿＿＿病了，所以他没来上课。 （因为，无论，不但）

3. 刚来中国时，他＿＿＿＿一句汉语＿＿＿＿不会说。 （连……都……，越……越……）

三 填写并完成对话 Fill in the Blanks and Complete the Conversation

A：老师，下周我就要回国了。我来向您辞行，

＿＿＿＿＿＿＿＿＿＿＿＿＿＿＿＿＿＿。 （……来）

B：哪里。你太客气了。你的汉语进步真快，

＿＿＿＿＿＿＿＿＿＿＿＿＿＿＿＿＿＿！ （中国通）

A：＿＿＿＿＿＿＿＿＿＿＿＿＿＿＿。我会继续努力的。 （夸奖）

B：＿＿＿＿＿＿＿＿＿＿＿＿＿＿＿＿？ （打算）

A：我想＿＿＿＿＿＿＿＿＿＿＿＿＿。 （先……，然后……）

B：那太好了。＿＿＿＿＿＿＿＿＿＿＿。 （成为）

A：谢谢您。＿＿＿＿＿＿＿＿＿＿＿＿。 （不但……，而且……）

B：这是我应该做的。＿＿＿＿＿＿＿＿＿。 （舍不得）

A：我们也是。这次回国我要跟我的亲戚朋友介绍我看到的中国，希望他们都能来中国看看。

B：＿＿＿＿＿＿＿＿＿＿＿＿＿＿＿＿。 （向……问好）

A：我会的，谢谢您。

四 朗读短文 Read Aloud

228

　　昨天马克主持的晚会我去看了。马克没看到我，因为我坐在后面，他可能看不到。马克主持得真不错。他的汉语进步很大。发音、声调都很标准。连中国人都听不出来他是外国人。马克不相信我说的话。可是我说的是实话。卡伦唱的中文歌，安德鲁和马克说的相声，惠美朗诵的诗也都不错。马克听到我的夸奖，非常高兴。他要谢谢我，他说，因为有了我的帮助，所以他的汉语才进步得这么快。我认为主要是他自己努力。我告诉他，回国以后还要坚持学习，千万别把汉语扔了。他说，他很快就会回北京的，这儿已经成了他的第二故乡了。

Zuótiān Mǎkè zhǔchí de wǎnhuì wǒ qù kàn le. Mǎkè méi kàn dào wǒ, yīnwèi wǒ zuò zài hòumiàn, tā kěnéng kàn bu dào. Mǎkè zhǔchí de zhēn búcuò. Tā de Hànyǔ jìnbù hěn dà. Fāyīn, shēngdiào dōu hěn biāozhǔn. Lián Zhōngguórén dōu tīng bu chūlái tā shì wàiguó rén. Mǎkè bù xiāngxìn wǒ shuō de huà. Kěshì wǒ shuō de shì shíhuà. Kǎlún chàng de Zhōngwén gē, Āndélǔ hé Mǎkè shuō de xiàngsheng, Huìměi lǎngsòng de shī yě dōu búcuò. Mǎkè tīng dào wǒ de kuājiǎng, fēicháng gāoxìng. Tā yào xièxie wǒ, tā shuō, yīnwèi yǒu le wǒ de bāngzhù, suǒyǐ tā de Hànyǔ cái jìnbù de zhème kuài. Wǒ rènwéi zhǔyào shì tā zìjǐ nǔlì. Wǒ gàosu tā, huí guó yǐhòu hái yào jiānchí xuéxí, qiānwàn bié bǎ Hànyǔ rēng le. Tā shuō, tā hěn kuài jiù huì huí Běijīng de, zhèr yǐjīng chéng le tā de dì èr gùxiāng le.

第 48 课

祝你一路平安
Zhù nǐ yílù píng'ān

句子 | Sentences

293	Please write something on my guest-book.	请在我的留言本上写几句话吧。 Qǐng zài wǒ de liúyán běn shàng xiě jǐ jù huà ba.
294	This is my email address. You must write to me.	这是我的电子邮箱地址，你一定要给 Zhè shì wǒ de diànzǐ yóuxiāng dìzhǐ, nǐ yídìng 我写信。 yào gěi wǒ xiě xìn.
295	What do you mean by "shì yè yǒu chéng"?	"事业有成"是什么意思？ "Shìyè yǒu chéng" shì shénme yìsi?
296	I'll surely miss you when I'm back home.	我回国以后，一定会想你的。 Wǒ huí guó yǐhòu, yídìng huì xiǎng nǐ de.
297	I'm calling to say goodbye.	我给您打电话，是为了向您告别。 Wǒ gěi nín dǎ diànhuà, shì wèile xiàng nín gàobié.
298	All packed up.	全都收拾好了。 Quán dōu shōushi hǎo le.
299	I'll be back to China after summer holiday.	过了暑假我还会回中国来的。 Guò le shǔjià wǒ hái huì huí Zhōngguó lái de.
300	Have a nice trip!	祝你一路平安！ Zhù nǐ yílù píng'ān!
301	Give my best regards to your parents.	请代我向你的父母问好。 Qǐng dài wǒ xiàng nǐ de fùmǔ wènhǎo.

第一部分 | Part I

词语 | Words

1.	留言 liúyán	message	2.	句	jù	sentence

3.	话	huà	word	6.	幸福	xìngfú	happy
4.	信	xìn	letter	7.	事业有成	shìyè yǒu chéng	a brilliant career
5.	祝	zhù	to wish	8.	通信	tōngxìn	communication

课文一 | Text 1

(Scene: Mark is chatting with Zhang Hua.)

马克: 张华,请在我的留言本上写几句话吧。
Mǎkè: Zhāng Huá, qǐng zài wǒ de liúyán běn shàng xiě jǐ jù huà ba.

张华: 好的。你哪天走?
Zhāng Huá: Hǎo de. Nǐ nǎ tiān zǒu?

马克: 后天走。这是我的电子邮箱地址,你一定要
Mǎkè: Hòutiān zǒu. Zhè shì wǒ de diànzǐ yóuxiāng dìzhǐ, nǐ yídìng yào
给我写信。
gěi wǒ xiě xìn.

张华: 我这儿有你的e-mail地址。我会给你发邮件的。
Zhāng Huá: Wǒ zhèr yǒu nǐ de e-mail dìzhǐ. Wǒ huì gěi nǐ fā yóujiàn de.

马克: 你在留言本上写了什么?
Mǎkè: Nǐ zài liúyán běn shàng xiě le shénme?

张华: "祝你生活幸福,事业有成"。
Zhāng Huá: "Zhù nǐ shēnghuó xìngfú, shìyè yǒu chéng".

马克: "事业有成"是什么意思?
Mǎkè: "Shìyè yǒu chéng" shì shénme yìsi?

张华: 就是祝你事业成功的意思。
Zhāng Huá: Jiùshi zhù nǐ shìyè chénggōng de yìsi.

马克: 噢,明白了。请把你的通信地址、电话、手机,
Mǎkè: Ō, míngbái le. Qǐng bǎ nǐ de tōngxìn dìzhǐ, diànhuà, shǒujī,
还有e-mail地址都写下来给我。
hái yǒu e-mail dìzhǐ dōu xiě xiàlái gěi wǒ.

张华: 要写这么多吗?你有我的e-mail地址就可以了。
Zhāng Huá: Yào xiě zhème duō ma? Nǐ yǒu wǒ de e-mail dìzhǐ jiù kěyǐ le.

马克: 不行。都写在这儿吧。我们要常联系。我回国
Mǎkè: Bù xíng. Dōu xiě zài zhèr ba. Wǒmen yào cháng liánxi. Wǒ huí guó
以后,一定会想你的。
yǐhòu, yídìng huì xiǎng nǐ de.

张华: 我也一样。
Zhāng Huá: Wǒ yě yíyàng.

230

注释 | Notes

无主句 **Sentences without subjects**

Generally, a sentence without the subject is used to describe some natural phenomena such as weather, or to express good wishes. And in this lesson, it's the latter usage. E.g.

（1）刮风了。
（2）下雨了。
（3）祝你生日快乐！
（4）祝你成功！
（5）祝你事业有成，生活幸福！

句型操练 | Pattern Drills

1. 这是我的电子邮件地址，你一定要给我写信。
这是……，你一定要……。

演唱会门票/去看

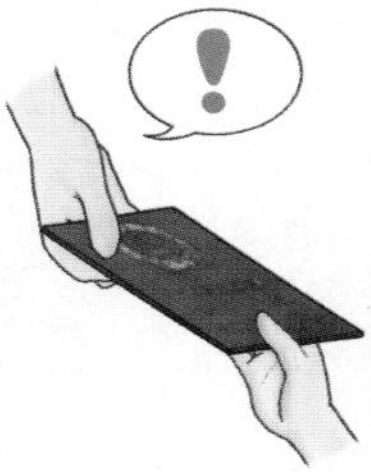
你的护照/拿好

他的留言/跟他联系

2. “事业有成”是什么意思？
……是什么意思？

世上无难事，只怕有心人

饭后百步走，活到九十九

不见不散

趁热打铁　Strike While the Iron Is Hot

1. 请在我的留言本上写几句话吧。
3. ……走。这是我的电子邮箱地址，你一定要……。
5. 你在留言本上写了什么？
7. ……是什么意思？
9. 啊，明白了。请把你的……都写下来给你。
11. 不行。都写在这儿吧。我们要常联系。我回国以后一定会想你的。

2. 好的。你哪天走？
4. 我会给你发邮件的。
6. ……。
8. 就是……。
10. 要写这么多吗？你有我的……就可以了。

第二部分 | Part II

词 语 | Words

1.	告别	gàobié	to say good-bye to sb.	**6.**	保重	bǎozhòng	to take care
2.	收拾	shōushi	to put in order	**7.**	一路平安	yílù píng'ān	to have a pleasant journey
3.	全	quán	all				
5.	接风	jiēfēng	to give a welcome dinner to a visitor from afar	**8.**	代	dài	to take the place of

课文二 | Text 2

(Scene: Karen is calling Mrs. Wang to say goodbye.)

卡　伦：　是 王 老 师 吧？ 我 是 卡 伦。我 给 您 打 电 话， 是 为
Kǎlún:　Shì Wáng lǎoshī ba? Wǒ shì Kǎlún. Wǒ gěi nín dǎ diànhuà, shì wèile
了 向 您 告 别。
xiàng nín gàobié.

王 老 师：　你 是 明 天 几 点 的 飞 机？
Wáng lǎoshī:　Nǐ shì míngtiān jǐ diǎn de fēijī?

卡伦： 明天中午十一点的。

Kǎlún: Míngtiān zhōngwǔ shíyī diǎn de.

王老师： 行李都收拾好了吗？

Wáng lǎoshī: Xíngli dōu shōushi hǎo le ma?

卡伦： 全都收拾好了。

Kǎlún: Quán dōu shōushi hǎo le.

王老师： 有人送你吗？

Wáng lǎoshī: Yǒu rén sòng nǐ ma?

卡伦： 我的中国朋友张华、李明都去机场送我。我

Kǎlún: Wǒ de Zhōngguó péngyou Zhāng Huá, Lǐ Míng dōu qù jīchǎng sòng wǒ.

跟安德鲁和马克一起走。您放心吧。

Wǒ gēn Āndélǔ hé Mǎkè yìqǐ zǒu. Nín fàngxīn ba.

王老师： 那我就不去送你们了。

Wáng lǎoshī: Nà wǒ jiù bú qù sòng nǐmen le.

卡伦： 不用了。过了暑假我还会回中国来的。

Kǎlún: Bú yòng le. Guò le shǔjià wǒ hái huì huí Zhōngguó lái de.

王老师： 我等着给你接风。

Wáng lǎoshī: Wǒ děng zhe gěi nǐ jiēfēng.

卡伦： 我等着这一天早日到来。您多保重。

Kǎlún: Wǒ děng zhe zhè yì tiān zǎorì dàolái. Nín duō bǎozhòng.

王老师： 祝你一路平安！请代我向你的父母问好。再见。

Wáng lǎoshī: Zhù nǐ yílù píng'ān! Qǐng dài wǒ xiàng nǐ de fùmǔ wènhǎo. Zàijiàn.

卡伦： 再见。

Kǎlún: Zàijiàn.

233

注释 | Notes

1. **"全"** All , entirely, entire

It can be an adjective or an adverb. In this lesson, we learn it as an adverb. It is often used with "都" to express that there is no exception in a certain scope. E.g.

（**1**）行李全都收拾好了。

（**2**）生词我全都记住了。

（**3**）老师说的话，我全都记下来了。

2. **"一路平安"** Have a nice trip

It is an expression of good wishes when you see somebody off. You can also say "一路顺风". E.g.

（**1**）祝你一路平安。

（**2**）祝你们一路顺风。

句型操练 | Pattern Drills

1. 我给您打电话，是为了**向您告别**。

······，是为了······。

我来中国/学习汉语

她每天不吃早饭
/多睡一会儿觉

她每天练习说汉语
/参加演讲比赛

2. 全都**收拾**好了。

全都······好了。

安排

准备

3. 祝你**一路平安**!

祝你······!

事业有成

生活幸福

生日快乐

234

趁热打铁 Strike While the Iron Is Hot

1. 是······老师吧? 我是······。

3. 我给您打电话，是为了······。

5. ······的。

7. ······。您放心吧。

9. ······。

2. 你好。找我有什么事儿?

4. 你是······的飞机?

6. 行李都收拾好了吗?

8. 祝你一路平安! 请代我
向你的父母问好。

10. 再见!

词语扩展 | Vocabulary Extension

毕业纪念

毕业纪念册
bìyè jìniàn cè

老师留言
lǎoshī liúyán

同学留言
tóngxué liúyán

毕业合影
bìyè héyǐng

听与说 | Listening and Speaking

一 看图回答问题 Look and Answer

他们在留言本上写了什么？

235

二 双人练习 Pair Work

	A	B
①	请在我的留言本上写几句话吧。	好的。_____?
	下周一走。这是我的_____，你一定要给我写信。	我会给你发邮件的。
		祝你身体健康，生活幸福！
	"_____"是什么意思？	就是希望你不生病！
	啊，明白了。我们要常联系。回国以后，我一定会想你的。	

②

留学生	老师
老师，您好。我来，是为了向您告别。	你______________?
是后天上午九点的飞机。	
行李全都收拾好了。	有人送你吗？
我跟朋友们一起走，您放心吧。	
过了暑假我就回来。	祝你________！请代我向你的父母问好。
谢谢老师，再见！	

三 根据实际情况回答问题 Answer the Questions According to Actual Situations

1. 毕业的时候你们会互相在留言本上留言吗？都写些什么？
2. 你的电子邮箱地址是什么？
3. 你的好朋友要出国了，你会给他/她什么祝福？

读与写 | Reading and Writing

一 把括号中的词填入适当的位置 Put the Words into the Appropriate Places

1. 生词你们 A 都 B 记住 C 了吗？ （全）
2. 我的行李 A 全 B 收拾 C 好了。 （都）
3. 请在 A 我的留言本 B 写几句话 C 吧。 （上）

二 选词填空 Fill in the Blanks

1. 你在留言本 __________ 写的这句话是什么意思？ （上，里）
2. 我等 __________ 这一天早日到来。 （了，着，过）
3. 过 __________ 暑假我还会回中国来的。 （了，着，过）

三 填写并完成对话 Fill in the Blanks and Complete the Conversation

A：是王老师吧？我是卡伦。__________。 （向……告别）
B：______________？ （是……的）
A：明天中午十一点的。
B：行李都收拾好了吗？
A：______________。 （全都）
B：______________？ （送）

A：我的中国朋友张华、李明都去机场送我。我跟安德鲁和马克一起走。您放心吧。

B：那我就不去送你们了。

A：不用了。＿＿＿＿＿＿＿＿＿＿＿＿＿＿＿＿。　（还会……的）

B：＿＿＿＿＿＿＿＿＿＿＿＿＿＿＿＿。　（接风）

A：我等着这一天早日到来。您多保重。

B：＿＿＿＿＿＿＿。请代我向你的父母问好。　（祝你）

四　朗读短文 Read Aloud

　　马克后天就要回美国去了。他请我在他的留言本上写几句话。我写了一句话"祝你生活幸福，事业有成"。马克不明白"事业有成"是什么意思。我告诉他就是我祝他事业成功的意思。他让我把我的通信地址、电话、手机，还有e-mail地址都写下来给他。他把自己的电子邮箱地址也写下来给我，要我一定给他写信。我们说好了以后要常联系。马克回国以后，我一定会想他的。我想马克也一样，也会想我的。

　　Mǎkè hòutiān jiù yào huí Měiguó qù le. Tā qǐng wǒ zài tā de liúyán běn shàng xiě jǐ jù huà. Wǒ xiě le yí jù huà "zhù nǐ shēnghuó xìngfú, shìyè yǒu chéng". Mǎkè bù míngbái "shìyè yǒu chéng" shì shénme yìsi. Wǒ gàosu tā jiùshì wǒ zhù tā shìyè chénggōng de yìsi. Tā ràng wǒ bǎ wǒ de tōngxìn dìzhǐ, diànhuà, shǒujī, hái yǒu e-mail dìzhǐ dōu xiě xiàlái gěi tā. Tā bǎ zìjǐ de diànzǐ yóuxiāng dìzhǐ yě xiě xiàlái gěi wǒ, yào wǒ yídìng gěi tā xiě xìn. Wǒmen shuō hǎo le yǐhòu yào cháng liánxi. Mǎkè huí guó yǐhòu, wǒ yídìng huì xiǎng tā de. Wǒ xiǎng Mǎkè yě yíyàng, yě huì xiǎng wǒ de.

237

测 验 Test

一、看图和拼音填写动词。 Look at the pictures and pinyin, then fill in the blanks with appropriate verbs. (10 points, 1 point each)

| ___ pǎo 步 | ___ pá 山 | ___ kàn 电影 |
| ___ chī 饺子 | ___ guò 生日 | ___ dǎ 网球 |

| ___ zhào 相 | ___ fā 短信 | ___ zuò 飞机 | ___ pái 队 |

238

二、看图用括号中的词完成句子。 Look at the pictures, then complete the sentences with the given words. (10 points, 2 points each)

1. _____，所以我来晚了。（因为）

2．你看，＿＿＿＿＿＿＿＿＿＿＿＿＿＿＿＿＿＿＿＿＿。（了）

3．他＿＿＿＿＿＿＿＿＿＿＿＿＿＿＿＿＿。（在……呢）

4．她＿＿＿＿＿＿＿＿＿＿＿＿＿＿＿＿。（着）

5．A：你们是怎么来的？

B：＿＿＿＿＿＿＿＿＿＿＿＿＿＿＿。（是……的）

三、 选词填空。 Fill in the blanks with the most appropriate words. (20 points, 1 point each)

的 得 地

1．他汉语说 ＿＿＿＿＿＿ 跟中国人一样。

2．我这个人有睡懒觉 ＿＿＿＿＿＿ 坏习惯。

3．减肥不能着急，要一步一步 ＿＿＿＿＿＿ 来。

对 给 把 被 离 从 向

1．我 ＿＿＿＿＿＿ 中国历史文化特别感兴趣。

2．请替我 ＿＿＿＿＿＿ 你的家人问好。

3．我的自行车 ＿＿＿＿＿＿ 马克借走了。

4．＿＿＿＿＿＿ 放假还有一个多星期。

出来 下来 下去 出去 起来 过来

1．你说得太快了，我记不 ＿＿＿＿＿＿ ，请说慢一点儿。

2．改变习惯说 ＿＿＿＿＿＿ 容易，做 ＿＿＿＿＿＿ 可难了。

3．中国菜有些油腻，我吃不 ＿＿＿＿＿＿ 。

4．我想 ＿＿＿＿＿＿ 了，我们以前见过面。

了　着　过

1．我以前从来没来 ＿＿＿＿＿＿ 中国，这是第一次。

2．圣诞节快要到 ＿＿＿＿＿＿ 。

3．那个穿 ＿＿＿＿＿＿ 白色风衣的漂亮女孩是谁？

呢　吗　吧　嘛

1．我最近正忙着准备考试 ＿＿＿＿＿＿ ！

2．只要你努力，就一定能学好汉语。世上无难事，只怕有心人 ＿＿＿＿＿＿ ！

3．A：他汉字写得真好！

　　B：他是日本人 ＿＿＿＿＿＿ ！

无论　因为　虽然　不但

1．＿＿＿＿＿＿ 你遇到什么问题，我都会帮助你的。

2．＿＿＿＿＿＿ 有老师的帮助，我的汉语才进步得这么快。

3．＿＿＿＿＿＿ 我知道吸烟有害健康，但是我戒不掉。

四、把括号里的词填入合适的位置。Put the words into the appropriate place. (15 points, 1.5 point each)

1．北京的A公园B多C了。（可）

2．我A累得B走C动了。（不）

3．我A去他家的时候，B他C睡觉呢。（正在）

4．我喜欢吃A中国菜B，像鱼香肉丝、咕老肉C，都很好吃。（什么的）

5．我以前来A几次B中国C。（过）

6．他的爱好A跟B我C。（差不多）

7．我打算一A毕业B跟男朋友C结婚。（就）

8．回国以后A你B不要C忘了学习汉语。（千万）

9．从那以后我A没有B喝过酒C。（再也）

10．刚来时，我A什么B不C知道。（都）

五、选择合适的问句或者答句。Choose the most appropriate questions or answers. (5 points, 1 point each)

1．A：

　　B：我昨天到的。

　　▦ 你是什么时候到的？

　　▦ 你什么时候到？

3．A：我请你吃杭州有名的菜－－西湖醋

　　鱼、龙井虾仁和小笼包子。

　　B：

　　▦ 那我可以大饱眼福了。

　　▦ 那我可以大饱口福了。

2．A：

　　B：她没什么，就是这次考试成绩不太好。

　　▦ 张华怎么了？

　　▦ 张华好吗？

4．A：明天我就要回国了，我来向你告别。

　　B：

　　▦ 那我祝你一路平安。

　　▦ 那我祝你事业成功。

5．A：今天晚上七点，学校南门见。

　　B：

　　▨　好，以后再说吧。

　　▨　好，不见不散。

六、用括号中的词语完成对话。Complete the conversations with the given words. (12 points, 2 points each)

　　1．A：你看，天阴了，风也越刮越大。

　　　　B：_____。　　　　（看起来）

　　2．A：你周末都做些什么呢？

　　　　B：_____。　　　　（有时候…有时候…）

　　3．A：你觉得，怎么才能学好汉语呢？

　　　　B：_____。　　　　（只要…就…）

　　4．A：你怎么每天都这么精神？

　　　　B：我的生活习惯好，_____。　　（从来）

　　5．A：你学了半年多汉语了，你觉得汉语有意思吗？

　　　　B：_____。　　　　（越…越…）

　　6．A：你觉得我的汉语说得怎么样？

　　　　B：发音、声调都很标准，_____。　　（连…都…）

七、填写并完成对话。Fill in the blanks and complete the conversations. (18 points, 2 points each)

　　（一）

　　A：_____？

　　B：暑假我不回国，我留在北京。

　　A：_____？

　　B：我想去旅行。

　　A：_____？

　　B：我想去香港、深圳、广州，还想去很多地方。

　　A：你上个寒假就没有回国吧？为什么？

　　B：_____。

　　A：有意思吗？

　　B：很有意思。

　　A：_____？

　　B：春节的时候，中国人放鞭炮、贴对联、看春节晚会、吃饺子什么的。非常热闹。

　　（二）

　　A：我明天就要回美国了。

B：真舍不得你呀。_____?

A：明天下午五点的飞机。

B：我去送你。

A：不用了。_____?

B：我的邮箱地址是158@166.com.

A：等一下儿，我记下来。

B：_____。

A：我一定给你打电话，或者发邮件。

B：那我明天就不送你了。_____。

A：谢谢。

八、按照示例，根据实际情况填表。Fill in the table referring to the example. (10 points, 2 points each)

Examples（马克）	我
我是去年九月来北京的。	
我是从美国来的。	
我是跟朋友一起来的。	
我是坐飞机来的。	
我是来学习汉语的。	

词 语 表

A

AA制	A A zhì	28	
爱	ài	46	(动)
爱好	àihào	26	(名)
安排	ānpái	33	(名)
熬夜	áo yè	42	
奥运会	Àoyùnhuì	43	(专名)

B

芭蕾舞	bālěiwǔ	39	(名)
白	bái	41	(副)
班	bān	46	(名)
班机	bānjī	34	(名)
办法	bànfǎ	44	(名)
办(理)	bàn(lǐ)	35	(动)
半天	bàntiān	35	
半路	bànlù	43	(名)
帮忙	bāngmáng	37	
帮助	bāngzhù	25	(名)
包	bāo	38	(名)
保持	bǎochí	45	(动)
保护	bǎohù	43	(动)
保险	bǎoxiǎn	39	(形)
保重	bǎozhòng	48	(动)
抱歉	bàoqiàn	40	(动)
杯	bēi	40	(量)
呗	bei	44	(助)
北大	Běi ěā	38	(专名)
被	bèi	40	(介)
本来	běnlái	43	(副、形)
比较	bǐjiào	34	(副)
必	bì	37	(副)
毕业	bìyè	33	(动)
闭	bì	37	(动)
鞭炮	biānpào	32	(名)
遍	biàn	27	(量)

C

标准	biāozhǔn	36	(名)
标准间	biāozhǔn jiān	36	
表姐	biǎo jiě	35	
别人	biérén	29	(代)
别提了	biétí le	40	
博物馆	bówùguǎn	27	(名)
不错	búcuò	25	(形)
不但…而且…	búdàn…érqiě…	33	
不到长城	bú dào Chángchéng		
非好汉	fēi hǎohàn	37	
不对劲	bú duìjìn	46	
不过	búguò	31	(连)
不见不散	bú jiàn bú sàn	25	
步	bù	45	(名)
布置	bùzhì	31	(动)
部	bù	27	(量)

C

擦	cā	40	(动)
猜	cāi	28	(动)
彩灯	cǎi dēng	31	
菜单	càidān	28	(名)
参观	cānguān	27	(动)
参谋	cānmóu	31	(动)
餐巾纸	cānjīnzhǐ	40	(名)
操场	cāochǎng	25	(名)
茶	chá	28	(名)
差不多	chàbuduō	31	(副)
差(一)点儿	chà(yì)diǎnr	41	
产生	chǎnshēng	43	(动)
长城	Chángchéng	37	(专名)
尝	cháng	28	(动)
唱歌	chàng gē	47	
车/自行车	chē/zìxíngchē	40	(名)
车号	chē hào	38	
成	chéng	41	(动)
出来	chūlái	37	(动)

出色	chūsè	47	（形）
出示	chūshì	36	（动）
出现	chūxiàn	42	（动）
出租(汽)车	chūzū(qì)chē	29	（名）
除了…以外	chúle…yǐwài	26	
除夕	chúxī	31	（专名）
船	chuán	31	（名）
喘气	chuǎnqì	46	
春节	Chūn Jié	31	（专名）
春联	chūnlián	32	（名）
春天	chūntiān	43	（名）
吹	chuī	36	（动）
辞行	cíxíng	47	
次	cì	27	（量）
从来	cónglái	42	（副）

D

打	dǎ	26	（动）
打车	dǎ chē	38	
打工	dǎ gōng	32	
打球	dǎqiú	26	
打扰	dǎrǎo	39	（动）
打扫	dǎsǎo	31	（动）
打算	dǎsuàn	32	（名、动）
大饱口福	dà bǎo kǒufú	36	
大饱眼福	dà bǎo yǎnfú	36	
大胆	dàdǎn	44	（形）
大人不记 小人过	dàrén bújì xiǎorén guò	41	
代	dài	48	（动）
单人间	dān rén jiān	36	
单相思	dānxiāngsī	44	
担心	dānxīn	44	（动）
但是	dànshì	27	（连）
当	dāng	27	（动）
到底	dàodǐ	46	（副）
德国	Déguó	26	（专名）
登	dēng	37	（动）
登机	dēng jī	35	
登记	dēngjì	36	
地	dì	35	（助）
地方	dìfang	32	（名）
地址	dìzhǐ	37	（名）

点	diǎn	28	（动）
电	diàn	42	（名）
电梯	diàntī	36	（名）
电影	diànyǐng	27	（名）
电影院	diànyǐngyuàn	27	
电子	diànzǐ	40	（名）
掉	diào	45	（动）
顶	dǐng	31	（量）
丢	diū	38	（动）
丢三落四	diū sān là sì	34	（成）
东西	dōngxi	30	（名）
冬天	dōngtiān	30	（名）
动	dòng	46	（动）
都	dōu	29	（副词）
短信	duǎnxìn	39	
段	duàn	28	（量）
锻炼	duànliàn	26	（动）
对	duì	25	（介）
多	duō	25	（副）
多亏	duōkuī	41	（动）

E

饿	è	40	（动）
俄罗斯芭蕾舞团	Éluósī Bālěiwǔ Tuán		
		39	（专名）

F

发	fā	37	（动）
翻	fān	41	（动）
翻译	fānyì	27	（名）
烦心事	fánxīn shì	44	
饭后百步走， 活到九十九	fàn hòu bǎi bù zǒu, huó dào jiǔshíjiǔ	45	
方面	fāngmiàn	46	（名）
放	fàng	32	（动）
放	fàng	34	（动）
放假	fàngjià	31	
放松	fàngsōng	33	（动）
放心	fàngxīn	44	
份	fèn	34	（量）
风	fēng	36	（名）
风景	fēngjǐng	36	

244

风衣	fēngyī	35	（名）
服务	fúwù	38	（名）
父母	fùmǔ	32	（名）
负责	fùzé	39	（动）

G

该	gāi	29	（能愿动词）
改	gǎi	41	（动）
改变	gǎibiàn	45	（动）
改正	gǎizhèng	45	
干杯	gānbēi	39	
干燥	gānzào	36	（形）
赶快	gǎnkuài	34	（副）
敢	gǎn	44	（能愿动词）
感觉	gǎnjué	36	（动）
感谢	gǎnxiè	37	（动）
感兴趣/兴趣	gǎn xìngqù/xìngqù	25	
刚才	gāngcái	38	（名）
告别	gàobié	48	（动）
歌曲	gēqǔ	26	（名）
更	gèng	26	（副）
公共汽车	gōnggòng qìchē	29	（名）
公斤	gōngjīn	42	（名）
公司	gōngsī	38	（名）
够	gòu	32	（动）
估计	gūjì	43	（动）
姑娘	gūniang	35	（名）
故乡	gùxiāng	47	（名）
挂	guà	42	（动）
怪	guài	40	（动）
怪不得	guàibudé	44	（副）
刮	guā	43	（动）
惯	guàn	42	（动）
广场	guǎngchǎng	27	（名）
广州	Guǎngzhōu	32	（专名）
逛	guàng	30	（动）
国家	guójiā	29	（名）
国美出租车公司	Guóměi Chūzūchē Gōngsī	38	（专名）
过	guò	27	（动）
过	guò	31	（动）
过奖	guòjiǎng	47	（动）
过来	guòlái	37	（动）

过年	guònián	32	
过去	guòqù	37	（动）
过意不去	guò yì bú qù	41	

H

寒假	hánjià	32	（名）
航空售票处	hángkōng shòu piào chù	34	
杭州	Hángzhōu	34	（专名）
好吃	hǎo chī	36	（形）
好汉	hǎohàn	37	（名）
好像	hǎoxiàng	44	（副）
好在	hǎozài	39	（副）
合影	héyǐng	37	
红	hóng	35	（形）
红酒	hóng jiǔ	29	
后备箱	hòubèi xiāng	34	
后面	hòumiàn	46	（名）
后天	hòutiān	31	（名）
厚	hòu	43	（形）
胡同	hútòng	30	（名）
花	huā	29	（名）
滑	huá	40	（动）
话	huà	48	（名）
化妆品	huàzhuāngpǐn	30	（名）
划(船)	huá(chuán)	46	
坏	huài	40	（形）
环境	huánjìng	43	（名）
回	huí	32	（动）
回	huí	40	（量）
回来	huílái	25	（动）
回头	huítóu	44	（副）
回忆	huíyì	46	（名）
火车	huǒchē	34	（名）
或者	huòzhě	29	（连）

J

…机	jī	30	（名）
机票	jīpiào	34	（名）
…极了	…jí le	36	
急	jí	38	（动）
记	jì	37	（动）

245

记得	jìde	38	(动)		可	kě	26	(副)
计划	jìhuà	31	(动)		可惜	kěxī	30	(形)
继续	jìxù	47	(动)		课间	kè jiān	44	
加	jiā	36	(动)		肯定	kěndìng	43	(副)
家	jiā	34	(量)		空	kōng	36	(形)
家人	jiārén	47			空儿	kòngr	27	(名)
价钱	jiàqián	34	(名)		口袋	kǒudài	41	(名)
坚持	jiānchí	26	(动)		夸奖	kuājiǎng	47	(动)
减肥	jiǎnféi	26			快	kuài	29	(形)
见面	jiànmiàn	28			快乐	kuàilè	46	(形)
将来	jiānglái	46	(名)		困	kùn	40	(动)
交通	jiāotōng	42	(名)					
郊外	jiāowài	46	(名)					
叫	jiào	34	(动)		**L**			
教室	jiàoshì	43	(名)					
教诲	jiàohuì	47	(动)		啦	la	30	(助)
教训	jiàoxùn	38	(名)		蜡烛	làzhú	31	(名)
接待	jiēdài	39	(动)		来	lái	28	(动)
接风	jiēfēng	48	(动)		…来	…lái	47	
街	jiē	31	(名)		来得及/	láidejí/		
结婚	jiéhūn	33			来不及	láibují	34	(动)
戒	jiè	45	(动)		篮球	lánqiú	26	(名)
今年	jīnnián	31	(名)		缆车	lǎn chē	46	(名)
紧张	jǐnzhāng	33	(形)		懒	lǎn	30	(形)
进步	jìnbù	47	(动)		朗诵	lǎngsòng	47	(动)
京B12345	Jīng B yī' èrsānsìwǔ	38			劳驾	láojià	37	(动)
京酱肉丝	jīngjiàng ròusī	28	(专名)		乐观	lèguān	45	(形)
京剧	jīngjù	25	(名)		雷阵雨	léizhènyǔ	43	(名)
精神	jīngshen	45	(形)		冷	lěng	30	(形)
纠正	jiūzhèng	33	(动)		里边	lǐbian	28	
酒	jiǔ	29	(名)		礼物	lǐwù	29	(名)
居留证	jūliú zhèng	38	(名)		里面	lǐmiàn	38	(名)
举办	jǔbàn	43	(动)		理	lǐ	44	(动)
句	jù	48	(名)		历史	lìshǐ	27	(名)
聚会	jùhuì	29	(名)		连…都…	lián…dōu…	47	
军事	jūnshì	27	(名)		联系	liánxì	47	(动)
					脸	liǎn	36	
K					练	liàn	25	(动)
					辆	liàng	40	(量)
					了	liǎo	30	(动)
开朗	kāilǎng	44	(形)		了解	liǎojiě	27	(动)
开心	kāixīn	38	(形)		淋	lín	43	(动)
开夜车	kāi yèchē	45	(惯用语)		另	lìng	40	(代)
烤鸭	kǎoyā	28	(名)		流行	liúxíng	26	(形)
棵	kē	31	(量)		留	liú	33	(动)

留	liú	39	（动）
留言	liúyán	48	
龙井虾仁	lóngjǐng xiārén	36	（专名）
楼下	lóu xià	25	
旅行	lǚxíng	32	（动）
旅行社	lǚxíngshè	34	（名）
绿色	lǜsè	43	（名）
落	luò	38	（动）
落汤鸡	luòtāngjī	43	（名）

M

麻烦	máfan	39	（动）
麻婆豆腐	Mápó dòufu	28	（专名）
马马虎虎	mǎmǎhūhū	40	（形）
马上	mǎshàng	28	（副）
嘛	ma	28	（助）
毛病	máobìng	45	（名）
帽子	màozi	31	（名）
美	měi	36	（形）
美好	měihǎo	46	（形）
门口	ménkǒu	28	（名）
闷	mēn	44	（形）
…迷	…mí	26	（名）
米色	mǐ sè	35	（名）
秘密	mìmì	31	（名）
免费	miǎnfèi	34	（动）
名	míng	28	（量）
名	míng	33	（量）
明白	míngbai	30	（动）
明年	míngnián	32	（名）

N

拿…来说	ná…lái shuō	45	
那	nà	26	（连）
男	nán	33	（名）
南京	Nánjīng	31	（专名）
腻	nì	42	（形）
牛仔裤	niúzǎikù	35	（名）
弄	nòng	39	（动）
女孩儿	nǚháir	44	（名）
暖和	nuǎnhuo	36	（形）

O

噢	ō	29	（叹）

P

爬(山)	pá (shān)	46	（动）
排队	pái duì	39	
牌	pái	35	（名）
胖	pàng	42	（形）
跑步	pǎobù	25	
碰	pèng	40	（动）
啤酒	píjiǔ	28	（名）
漂亮	piàoliang	33	（形）
票	piào	30	（名）
乒乓球	pīngpāngqiú	26	（名）
平安夜	Píng'ān Yè	31	（专名）
破坏	pòhuài	43	（动）

Q

其实	qíshí	44	（副）
骑	qí	40	（动）
起	qǐ	39	（动）
起来	qǐlái	43	（动）
气候	qìhòu	36	（名）
千万	qiānwàn	47	（副）
钱包	qiánbāo	34	（名）
歉意	qiànyì	40	（名）
巧	qiǎo	30	（形）
亲戚	qīnqi	47	（名）
清楚	qīngchǔ	38	（形）
晴	qíng	43	（形）
请客	qǐngkè	28	（动）
庆祝	qìngzhù	28	（动）
全	quán	48	（形）

R

然后	ránhòu	31	（副）
让	ràng	29	（动）
热闹	rènao	31	（形）
人家	rénjia	38	（代）

W

外国	wàiguó	42	（名）
玩儿	wánr	29	（动）
晚报	wǎnbào	34	（名）
晚会	wǎnhuì	32	（名）
网	wǎng	30	（名）
网球	wǎngqiú	26	（名）
为	wèi	29	（介）
为了	wèile	29	（介）
位	wèi	28	（量）
喂	wèi	32	（叹）
无论	wúlùn	42	（连）
无论如何	wúlùn rúhé	45	（副）
舞会	wǔhuì	32	（名）

X

西湖醋鱼	xīhú cùyú	36	（专名）
吸烟	xīyān	45	
希望	xīwàng	47	（动）
习惯	xíguàn	42	（动）
洗	xǐ	36	（动）
洗手间	xǐshǒu jiān	40	（名）
洗澡	xǐzǎo	41	
细心	xìxīn	44	（形）
下	xià	38	（量）
下	xià	43	（动）
下车	xià chē	38	
下来	xiàlái	37	（动）
下身	xiàshēn	35	（名）
羡慕	xiànmù	32	（动）
香港	Xiānggǎng	32	（专名）
相机	xiàng jī	37	（名）
相声	xiàngsheng	47	（名）
相信	xiāngxìn	30	（动）
想念	xiǎngniàn	32	（动）
像	xiàng	26	（动）
消息	xiāoxi	38	（名）
小伙子	xiǎohuǒzi	37	（名）
小笼包子	xiǎo lóng bāozi	36	（专名）
小卖部	xiǎomàibù	40	（名）
小票	xiǎo piào	38	
小心	xiǎoxīn	38	（动）

校门	xiào mén	40	
笑	xiào	37	（动）
笑一笑， 十年少	xiào yi xiào, shínián shào	45	
些	xiē	29	（量）
写	xiě	25	（动）
心宽体胖	xīn kuān tǐ pán	42	
心里	xīn lǐ	39	
心情	xīnqíng	46	（名）
心事	xīnshì	44	（名）
新	xīn	42	（形）
信	xìn	48	（名）
信心	xìnxīn	44	（名）
行李	xíngli	34	（名）
醒	xǐng	45	（动）
幸福	xìngfú	48	（形）
修	xiū	40	（动）

Y

研究生	yánjiūshēng	47	（名）
眼	yǎn	45	（名）
演出	yǎnchū	39	（动）
养	yǎng	45	（动）
样子	yàngzi	43	（名）
要不	yàobù	31	（连）
要是…(的话)	yàoshì …(de huà)	27	
也许	yěxǔ	42	（副）
一定	yídìng	39	（副）
一路平安	yílù píng'ān	48	
一年之计在于 春，一天之 计在于晨	yì nián zhī jì zàiyú chūn, yì tiān zhī jì zàiyú chén	42	（谚）
一个一个	yí ge yí ge	35	
衣服	yīfu	40	（名）
已经	yǐjīng	31	（副）
以后	yǐhòu	25	（名）
以前	yǐqián	27	（名）
异同	yìtóng	32	
因为	yīnwèi	33	（连）
阴	yīn	43	（形）
尤其	yóuqí	42	（副）
邮箱	yóuxiāng	37	（名）
油	yóu	42	（名）

249

句子卡片

第二十五课　我对中国书法非常感兴趣

121. 好久没见到你了。
122. 你在忙什么呢?
123. 我在上网呢。
124. 你又开玩笑了。
125. 喜欢就不难。不喜欢就难。
126. 我对中国书法非常感兴趣。
127. 你练书法吧,我去操场找她。

第二十六课　你喜欢什么运动

128. 你喜欢什么运动?
129. 除了跑步以外,我还喜欢游泳、打球什么的。
130. 除了跑步以外,别的运动我都喜欢。
131. 每天下午跑一个小时步。
132. 你有什么爱好?
133. 我的爱好是听流行歌曲。
134. 我喜欢的运动可多了,像篮球、网球、乒乓球、足球什么的,我都喜欢。

第二十七课　你看过这部电影吗

135. 这个周末你有空儿吗?
136. 你看过这部电影吗?
137. 我在美国看过一遍,可我还想再看一遍。
138. 虽然我的中文不太好,但是我想试试。
139. 你以前参观过北京的博物馆吗?
140. 要是有时间的话,我想去中国历史博物馆参观参观。
141. 中国历史博物馆我去过一次。

251

第二十八课　今天我请客

142. 这次演讲比赛你得了第一名?
143. 今天我请客,你想吃什么?
144. 那怎么好意思呢?
145. 你们喝点儿什么?
146. 你们这儿有什么特色菜吗?
147. 再来个酸辣汤吧。
148. 请稍等。马上就来。

第二十九课　咱们带一束花去吧

149. 这个周六张华请咱们去她家做客。
150. 在我们国家,去别人家做客的时候也可以带一束花,或者一些水果去。
151. 咱们带一束花去吧。
152. 欢迎你们来我家玩儿。
153. 你们是什么时候到的?
154. 我们是坐出租汽车来的。
155. 让我们为这次聚会干杯。

第三十课　以后再说吧

156. 对不起,我去不了。
157. 我要在宿舍等特快专递,哪儿也不能去。
158. 真不巧。
159. 你不去,我也不去了。
160. 为什么不让我睡懒觉?
161. 我什么时候开玩笑了?
162. 以后再说吧。

Lesson 27 Have you seen this movie

135. Zhège zhōumò nǐ yǒu kòngr ma?

Do you have time this weekend?

136. Nǐ kàn guò zhè bù diànyǐng ma?

Have you seen this movie?

137. Wǒ zài Měiguó kàn guò yí biàn, kě wǒ hái xiǎng zài kàn yí biàn.

I saw it once in America, but I still want to see it again.

138. Suīrán wǒ de Zhōngwén bú tài hǎo, dànshì wǒ xiǎng shì shi.

Although my Chinese is not very good, I want to have a try.

139. Nǐ yǐqián cānguān guò Běijīng de bówùguǎn ma?

Have you ever visited any museums in Beijing?

140. Yàoshi yǒushí jiān de huà, wǒ xiǎng qù Zhōngguó Lìshǐ Bówùguǎn cānguān cānguān.

If I have time, I would like to visit the Chinese History Museum.

141. Zhōngguó Lìshǐ Bówùguǎn wǒ qù guò yí cì.

I've been to the Chinese History Museum once.

Lesson 26 What sports do you like

128. Nǐ xǐhuan shénme yùndòng?

What sports do you like?

129. Chúle pǎobù yǐwài, wǒ hái xǐhuan yóuyǒng, dǎ qiú shénmede.

Besides jogging, I also like swimming, ball games and the like.

130. Chúle pǎobù yǐwài, bié de yùndòng wǒ dōu xǐhuan.

With the exception of jogging, I like all other sports.

131. Měitiān xiàwǔ pǎo yí ge xiǎoshí bù.

(Let's) run for an hour every afternoon.

132. Nǐ yǒu shénme àihào?

What are your hobbies?

133. Wǒ de àihào shì tīng liúxíng gēqǔ.

My hobby is listening to pop music.

134. Wǒ xǐhuan de yùndòng kě duō le, xiàng lánqiú, wǎngqiú, pīngpāng qiú, zúqiú shénmede, wǒ dōu xǐhuan.

I like many sports, such as basketball, tennis,table tennis, football and the like.

Lesson 25 I'm really interested in Chinese calli graphy

121. Hǎojiǔ méi jiàn dào nǐ le.

It's been a long time since I last saw you.

122. Nǐ zài máng shénme ne?

What are you busy doing?

123. Wǒ zài shàngwǎng ne.

I'm surfing the Internet.

124. Nǐ yòu kāiwánxiào le.

You're kidding again.

125. Xǐhuan jiù bù nán. Bù xǐhuan jiù nán.

It's not hard if you like it. But if you don't, it's difficult.

126. Wǒ duì Zhōngguó shūfǎ fēicháng gǎn xìngqù.

I'm really interested in Chinese calligraphy.

127. Nǐ liàn shūfǎ ba, wǒ qù cāochǎng zhǎo tā.

You practice your calligraphy, and I'll go to the playground to look for her.

Lesson 30 Let's talk about it later

156. Duìbuqǐ, wǒ qù bù liǎo.

Sorry, I can't make it.

157. Wǒyào zài sùshè děng tèkuài zhuāndì, nǎr yě bù néng qù.

I have to wait for the courier in the dormitory. I can't go anywhere.

158. Zhēn bù qiǎo.

What a pity you miss it!

159. Nǐ bú qù, wǒ yě bú qù le.

If you don't go, neither will I.

160. Wèishénme bú ràng wǒ shuìlǎnjiào?

Why won't let me sleep?

161. Wǒ shénme shíhou kāiwánxiào le?

Do you think I'm kidding?

162. Yǐhòu zài shuō ba.

Let's talk about it later.

Lesson 29 Let's take a bunch of flowers when we go there

149. Zhège zhōuliù Zhāng Huá qǐng zánmen qù tā jiā zuòkè.

Zhang Hua has invited us to her home this Saturday.

150. Zài wǒmen guójiā, qù biérén jiā zuòkè de shíhou yě kěyǐ dài yí shù huā, huòzhě yìxiē shuǐguǒ qù.

In our country, you could also take a bunch of flowers or some fruit when you go to visit others' homes.

151. Zánmen dài yí shù huā qù ba.

Let's take a bunch of flowers when we go there.

152. Huānyíng nǐmen lái wǒ jiā wánr.

Welcome to my home.

153. Nǐmen shì shénme shíhou dào de?

When did you get here?

154. Wǒmen shì zuò chūzū qìchē lái de.

We came by taxi.

155. Ràng wǒmen wèi zhè cì jùhuì gānbēi.

Let's toast to this party.

Lesson 28 Today is my treat

142. Zhè cì yǎnjiǎng bǐsài nǐ dé le dìyī míng?

You won first place in the speech contest, didn't you?

143. Jīntiān wǒ qǐngkè, nǐ xiǎng chī shénme?

Today is my treat, what would you like to eat?

144. Nà zěnme hǎo yìsi ne?

It makes me feel uncomfortable.

145. Nǐmen hē diǎnr shénme?

What would you like to drink?

146. Nǐmen zhèr yǒu shénme tèsè cài ma?

Do you have any special dishes?

147. Zài lái ge suānlàtāng ba.

How about a bowl of vinegar-pepper soup?

148. Qǐng shāo děng. Mǎshàng jiù lái.

Wait a moment. I'll be right back.

第三十一课　咱们布置一下儿房间吧

163. 时间过得真快，圣诞节快要到了。
164. 这跟中国的春节差不多。
165. 你挺了解中国的。
166. 先去买一棵圣诞树，再买一些蜡烛和小彩灯，然后把圣诞树装饰一下儿。
167. 别着急，咱们先去商场看看吧。
168. 我最不喜欢逛街了。
169. 要不，请张华帮咱们参谋参谋？

第三十二课　寒假你有什么打算

170. 我又想回国，又想去旅行。
171. 我打算回国看父母。
172. 我还没去过呢。
173. 最好能在春节前回到北京。
174. 这是我第一次在中国人家里过年。
175. 放鞭炮、贴春联、看春节晚会、吃饺子什么的，可有意思了。
176. 我都忘得差不多了。

第三十三课　我一毕业就回国

177. 我想当翻译。
178. 我一毕业就回国。
179. 结什么婚，我还没有男朋友呢。
180. 学汉语不但可以帮助我在中国生活，而且可以帮助我了解汉英两种言语的异同。
181. 这个周末你有什么安排吗？
182. 你想带谁就带谁。
183. 因为这个舞会是为你准备的。

第三十四课　机票买回来了

184. 你说呢？
185. 可以找旅行社预订，也可以上网预订，还可以直接去航空售票处买。
186. 还是找旅行社订票吧。
187. 我今天买回来一份晚报。
188. 出租车正在楼下等着呢。
189. 请打开后备箱，我把行李放进去。
190. 下午4点的班机，来得及来不及？

第三十五课　把登机牌拿好

191. 我们都到了半天了。
192. 咱们去办登机牌和托运行李吧，马上就要登机了。
193. 要一个一个地办。
194. 这是您的登机牌，请拿好。
195. 你表姐会来接咱们吗？
196. 她上身穿着一件红毛衣。
197. 我们过去问问吧。

第三十六课　上有天堂，下有苏杭

198. 请问，有空房间吗？
199. 你们要什么样的房间？
200. 单人间一天一百五，标准间一天两百。
201. 中午十二点以前退房，不加钱。十二点以后退房加半天的住宿费。晚上六点以后要算一天的住宿费。
202. 好极了！
203. 我们真是大饱眼福了。
204. 我都不想回去了。

253

Lesson 33 I'll go back to my country as soon as I graduate

177. Wǒ xiǎng dāng fānyì.
I want to become an interpreter.

178. Wǒ yí bìyè jiù huí guó.
I'll go back to my country as soon as I graduate.

179. Jié shénme hūn, wǒ hái méiyǒu nán péngyou ne.
Get married? I don't have a boyfriend yet.

180. Xué Hànyǔ búdàn kěyǐ bāngzhù wǒ zài Zhōngguó shēnghuó, érqiě kěyǐ bāngzhù wǒ liǎojiě hàn yīng liǎng zhǒng yǔyán de yìtóng.
Learning Chinese not only can help my life in China, but also can help me understand the differences and similarities of English and Chinese.

181. Zhège zhōumò nǐ yǒu shénme ānpái ma?
Do you have any plans for this weekend?

182. Nǐ xiǎng dài shuí jiù dài shuí.
You can take whoever you want.

183. Yīnwèi zhège wǔhuì shì wèi nǐ zhǔnbèi de.
Because this dance is for you.

Lesson 32 what plan do you have for winter vacation

170. Wǒ yòu xiǎng huí guó, yòu xiǎng qù lǚxíng.
I want to go back to my country as well as to travel.

171. Wǒ dǎsuàn huíguó kàn fùmǔ.
I plan to go back to my country to see my parents.

172. Wǒ hái méi qù guò ne.
I have never been there.

173. Nǐ zuì hǎo néng zài Chūn Jié qián huídào Běijīng.
You'd better go back to Beijing before the Spring Festival.

174. Zhè shì wǒ dì yī cì zài Zhōngguórén jiā lǐ guònián.
It's my first time celebrating the New Year with a Chinese family.

175. Fàng biān pào, tiē chūnlián, kàn chūnjié wǎnhuì, chī jiǎozi shénmede, kě yǒu yìsi le.
It's very interesting to set off firecrackers, couplets, watch the Spring Festival evening performance, eat dumplings, and so on.

176. Wǒ dōu wàng de chàbuduō le.
I've forgotten most of it.

Lesson 31 Let's decorate the room

163. Shíjiān guò dé zhēn kuài, Shèngdàn Jié kuàiyào dào le.
How time flies! Christmas is coming soon.

164. Zhè gēn Zhōngguó de Chūn Jié chàbuduō.
It's about the same as Spring Festival in China.

165. Nǐ tǐng liǎojiě Zhōngguó de.
You're pretty familiar with China.

166. Xiān qù mǎi yì kē shèngdànshù, zài mǎi yìxiē làzhú hé xiǎo cǎi dēng, ránhòu bǎ shèndànshù zhuāngshì yíxiàr.
First, buy a Christmas tree, then buy some candles and colored lights, and after that decorate the Christmas tree.

167. Bié zháojí, zánmen xiān qù shāngchǎng kànkan ba.
Don't worry. Let's go and check in the department store.

168. Wǒ zuì bù xǐhuan guàng jiē le.
I don't like shopping.

169. Yàobù, qǐng Zhāng Huá bāng zánmen cānmóu cānmóu?
Or ask Zhang Hua to give us some suggestions?

254

Lesson 36 Up above there is Paradise; down here there are Suzhou and Hangzhou

198. Qǐngwèn, yǒu kōng fángjiān ma?
Please, are there any vacanct rooms?

199. Nǐmen yào shénmeyàng de fángjiān?
What kind of room do you prefer?

200. Dān rén jiān yìtiān yìbǎi wǔ, biāozhǔn jiān yìtiān liǎngbǎi.
Single room, 150 Yuan per day, and standard room, 200.

201. Zhōngwǔ shí'èr diǎn yǐqián tuì fáng, bù jiā qián. Shí'èr diǎn yǐhòu tuì fáng jiā bàn tiān de zhùsù fèi. wǎnshang liù diǎn yǐhòu yào suàn yìtiān de zhùsù fèi.
If you check out before 12 noon, there is no extra fee. After 12 o'clock, you'll be charged an additional half-day's fee. And after 6 pm, it will be a full day's fee.

202. Hǎo jí le!
Great!

203. Wǒmen zhēn shì dà bǎo yǎnfú le.
It's been a feast for our eyes.

204. Wǒ dōu bù xiǎng huíqù le.
I really don't want to go back home.

Lesson 35 Take your boarding pass

191. Wǒmen dōu dào le bàn tiān le.
We're already been here for a long time.

192. Zánmen qù bàn dēng jī pái hé tuōyùn xíngli ba, mǎshàng jiù yào dēng jī le.
Let's go and get the boarding passes and check in the luggage. We're boarding soon.

193. Yào yí ge yí ge de bàn.
The transaction should be done one by one.

194. Zhè shì nín de dēng jī pái, qǐng ná hǎo.
This is your boarding pass, please take it.

195. Nǐ biǎo jiě huì lái jiē zánmen ma?
Will your cousin come to pick us up?

196. Tā shàngshēn chuānzhe yí jiàn hóng máoyī.
She's wearing a red sweater.

197. Wǒmen guòqù wèn wèn ba.
Let's go and ask.

Lesson 34 We've got the tickets

184. Nǐ shuō ne?
What do you say?

185. Kěyǐ zhǎo lǚxíngshè yùdìng, yě kěyǐ shàngwǎng yùdìng, hái kěyǐ zhíjiē qù hángkōng shòu piào chù mǎi.
You can book the ticket with a travel agency, on the Internet, or you can go to the airline ticket counter.

186. Háishi zhǎo lǚxíngshè dìng piào ba.
It's better to ask a travel agency to book the tickets.

187. Wǒ jīntiān mǎi huílái yí fèn wǎnbào.
Today I bought an evening paper.

188. Chūzūchē zhèngzài lóu xià děng zhe ne.
The taxi is waiting downstairs.

189. Qǐng dǎkāi hòubèi xiāng, wǒ bǎ xíngli fàng jìnqù.
Please open the trunk and I'll put the luggage into it.

190. Xiàwǔ sì diǎn de bānjī, láidejí láibují?
Is there enough time to catch the 4 pm flight?

第三十七课　能帮我们照张相吗

205. 我们终于登上长城了。
206. 咱们俩照张合影吧。
207. 那边过来一个小伙子，就请他帮个忙吧。
208. 劳驾，能帮我们照张相吗?
209. 咱们在长城照的照片洗出来了没有?
210. 哪张照得好，就洗哪张。
211. 我把邮箱地址告诉你，你记下来吧。

第三十八课　我的钱包落在出租车上了

212. 我的包落在你们公司的出租车上了。
213. 对不起，你说的话我听不清楚，你能不能说得慢一点儿。
214. 你把小票拿出来看看，上面有车号。
215. 我们帮你查查，一有消息马上通知你。
216. 刚才出租车公司的师傅已经给我送来了。
217. 我急得不知道怎么办才好。
218. 以后可要小心了。
219. 哪儿啊，司机师傅说那是他应该做的。

第三十九课　我想请她帮个忙

220. 我今天上午排了两个小时的队也没买到票。
221. 你能帮我弄张票吗?
222. 你怎么不早说呢?
223. 我不好意思总麻烦你。
224. 喂，请问王小璐在吗?
225. 我想请她帮个忙。
226. 麻烦你转告她，让她给我回个电话，好吗?
227. 这样吧，我给她留个字条。

255

第四十课　真抱歉，我来晚了

228. 真抱歉，我来晚了。
229. 我骑车刚出校门，就被另一辆自行车撞了。
230. 我的自行车被撞坏了。
231. 为了表示歉意，今天我请客。
232. 别提了!
233. 咖啡让我碰洒了。
234. 都怪我不小心。
235. 我想起来了。

第四十一课　对不起，我忘告诉你了

236. 对不起，我忘告诉你了。
237. 他让我转告你，今天他有事，不能辅导了。
238. 你怎么不早说呢? 让我白等了那么长时间。
239. 我差一点儿错怪李明。
240. 今天我去了一趟书店。
241. 别着急，你再好好儿找找。
242. 真过意不去，你的自行车钥匙被我弄丢了。
243. 我最近怎么总是丢三落四的。被我弄丢了。

第四十二课　看来，你已经习惯这里的生活了

244. 时间过得真快啊，转眼来北京已经半年多了。
245. 刚来的时候，什么都不太习惯，尤其是吃不惯中国菜。
246. 主要是太腻了，油太多，吃不下去。
247. 看来，你已经习惯这里的生活了。
248. 他从来不这样。
249. 他是不是起晚了?
250. 他无论睡得多晚，第二天都会准时来上课。
251. 不是他忘带手机了，就是他的手机没电了。

Lesson 39 I'd like to ask her to do me a favor

220. Wǒ jīntiān shàngwǔ pái le liǎng ge xiǎoshí de duì yě méi mǎi dào piào.

I failed to get a ticket though I stood in a long queue for two hours.

221. Nǐ néng bāng wǒ nòng zhāng piào ma?

Could you get a ticket for me?

222. Nǐ zěnme bù zǎo shuō ne?

Why didn't you tell me earlier?

223. Wǒ bù hǎoyìsi zǒng máfan nǐ.

I'm sorry that I always bother you.

224. Wèi, qǐngwèn Wáng Xiǎolù zài ma?

Hello, may I know if Wang Xiaolu is in?

225. Wǒ xiǎng qǐng tā bāng ge máng.

I'd like to ask her to do me a favor.

226. Máfan nǐ zhuǎngào tā, ràng tā gěi wǒ huí ge diànhuà, hǎo ma?

Could you tell her to call me back?

227. Zhèyàng ba, wǒ gěi tā liú ge zìtiáo.

Ok, I'll leave her a message.

Lesson 38 My bag was left in a taxi

212. Wǒ de bāo là zài nǐmen gōngsī de chūzūchē shàng le.

My bag was left in a taxi of your company.

213. Duìbuqǐ, nǐ shuō de huà wǒ tīng bu qīngchǔ, nǐ néng bu néng shuō de màn yìdiǎnr.

Sorry, I can't hear what you said clearly. Can you speak slower?

214. Nǐ bǎ xiǎo piào ná chūlái kànkan, shàngmiàn yǒu chē hào.

Take a look at the receipt. It shows the registration number of the car.

215. Wǒmen bāng nǐ chácha, yì yǒu xiāoxi mǎshàng tōngzhī nǐ.

We'll check for you and tell you as soon as we have any news.

216. Gāng cái chūzūchē gōngsī de shīfu yǐjīng gěi wǒ sòng lái le.

The taxi driver has returned it to me just now.

217. Wǒ jí de bù zhīdào zěnme bàn cái hǎo.

I'm so worried that I don't know how to deal with it.

218. Yǐhòu kě yào xiǎoxīn le.

You should be more careful in the future.

219. Nǎr à, sījī shīfu shuō nà shì tā yīnggāi zuò de.

The taxi driver said that it was what he should have done.

Lesson 37 Could you take a picture for us

205. Wǒmen zhōngyú dēng shàng Chángchéng le.

We've finally climbed the Great Wall.

206. Zánmen liǎ zhào zhāng héyǐng ba.

Let's take a picture.

207. Nàbiān guòlái yí ge xiǎohuǒzi, jiù qǐng tā bāng ge máng ba.

Here comes somebody, let's ask him for a favor.

208. Láojià, néng bāng wǒmen zhào zhāng xiàng ma?

Sir, can you do us a favor and take a picture for us?

209. Zánmen zài chángchéng zhào de zhàopiàn xǐ chūlái le méiyǒu?

Have you developed the pictures we took on the Great Wall.

210. Nǎ zhāng zhào de hǎo, jiù xǐ nǎ zhāng.

I'll print the pictures that look good.

211. Wǒ bǎ yóuxiāng dìzhǐ gàosù nǐ, nǐ jì xiàlái ba.

I'll tell you my email address, and you can write it down.

Lesson 42 It seems that you have gotten used to the life here

244. Shíjiān guò de zhēn kuài a, zhuǎnyǎn lái Běijīng yǐjīng bàn nián duō le.

Time flies! It's been half a year since I came to Beijing.

245. Gāng lái de shíhou, shénme dōu bú tài xíguàn, yóuqí shì chī bu guàn Zhōngguó cài.

When I had just come here, I wasn't used to anything at all and especially Chinese food.

246. Zhǔyào shì tài nì le, yóu tài duō, chī bu xiàqù.

It is mainly because it's too greasy for me to swallow it.

247. Kàn lái, nǐ yǐjīng xíguàn zhèlǐ de shēnghuó le.

It seems that you have gotten used to the life here.

248. Tā cónglái bú zhèyàng.

He has never been like this.

249. Tā shì bu shì qǐ wǎn le?

Is it because he got up too late?

250. Tā wúlùn shuì de duō wǎn, dì'èr tiān dōu huì zhǔnshí lái shàngkè.

No matter how late he goes to bed, he comes to class on time the next day.

251. Bú shì tā wàng dài shǒu jī le, jiùshì tā de shǒujī méi diàn le.

If it isn't that he forgot to take his mobile phone, then the phone must have run out of power.

Lesson 41 Sorry, I forgot to tell you

236. Duìbuqǐ, wǒ wàng gàosù nǐ le.

Sorry, I forgot to tell you.

237. Tā ràng wǒ zhuǎngào nǐ, jīntiān tā yǒu shì, bù néng fǔdǎo le.

He asked me to tell you that he has something else to do today, so he can't do the tutoring.

238. Nǐ zěnme bù zǎo shuō ne? Ràng wǒ bái děng le nàme cháng shíjiān.

Why didn't you say it earlier? I've been waiting for such a long time.

239. Wǒ chàyìdiǎnr cuòguài Lǐ Míng.

I nearly blamed Li Ming by mistake.

240. Jīntiān wǒ qù le yí tàng shū diàn.

Today, I went to the bookstore.

241. Bié zháojí, nǐ zài hǎohāor zhǎozhao.

Don't worry, just look for it carefully.

242. Zhēn guò yì bú qù, nǐ de zìxíngchē yàoshi bèi wǒ nòng diū le.

I'm really sorry. I've lost the key to your bike.

243. Wǒ zuìjìn zěnme zǒngshì diū sān là sì de.

How come I'm so forgetful recently?

Lesson 40 So sorry, I'm late

228. Zhēn bàoqiàn, wǒ lái wǎn le.

So sorry I'm late.

229. Wǒ qí chē gāng chū xiào mén, jiù bèi lìng yí liàng zìxíngchē zhuàng le.

I had just gone out of the school gate when I got hit by another bike.

230. Wǒ de zìxíngchē bèi zhuàng huài le.

My bike has been hit and broken.

231. Wèile biǎoshì qiànyì, jīntiān wǒ qǐngkè.

To show my regret, today is my treat.

232. Biétí le!

Don't mention it!

233. Kāfēi ràng wǒ pēng sǎ le.

The coffee has been spilled by me.

234. Dōu guài wǒ bù xiǎoxīn.

It was all my fault that I was so careless.

235. Wǒ xiǎng qǐlái le.

It comes to me.

第四十三课　看样子要下雨了

252. 天阴了，看样子要下雨了。
253. 风也越刮越大，看起来雨会下得很大。
254. 来得快去得也快。
255. 我以后也应该像你一样，天天带着雨伞。
256. 再也不用穿厚厚的衣服了。
257. 为什么北京会有沙尘暴呢？
258. 这是产生沙尘暴的重要原因之一。
259. 原来的北京可不是这样。

第四十四课　她好像有什么心

260. 我觉得她好像有什么心事。
261. 回头我跟她谈谈。
262. 其实也没什么，就是听写的成绩总是不好。
263. 老师念得太快，我写不下来。
264. 怪不得最近我看她整天在努力地练习汉字。
265. 今天马克怎么没来？
266. 不会又堵车了吧？
267. 他是不是遇到了什么烦心事？

第四十五课　早睡早起身体好

268. 有时候去操场跑跑步，有时候在宿舍预习一下儿课文。
269. 你应该改变一下儿自己的习惯。
270. 说起来容易，做起来就难。
271. 早睡早起身体好。
272. 就拿我哥哥来说吧，他已经吸了五六年烟了，想要戒掉很难。
273. 从那以后我再没喝过。
274. 无论如何，我们还是应该把一些坏习惯改掉。
275. 中国有句话叫"笑一笑，十年少"。

第四十六课　坚持到底就是胜利

276. 我们应该想想办法，让大家高兴高兴。
277. 等考完试了，我们班出去玩儿一次吧。
278. 一方面可以放松放松，另一方面还可以增进同学们之间的了解。
279. 我早就想出去玩儿了。
280. 终于考完试了。
281. 我们坐下来休息一会儿吧。
282. 我们不能落在别人后面。
283. 只要坚持，就没有做不到的事。

第四十七课　你的汉语进步真大

284. 我坐在后面，你可能看不到。
285. 你的汉语进步真大。
286. 连中国人都听不出来你是外国人。
287. 因为有了你的帮助，所以我的汉语才进步得这么快。
288. 回国以后还要坚持学习，千万别扔了。
289. 我来向您辞行，谢谢您一年来的教诲。
290. 谢谢您的夸奖。
291. 我想你以后一定会成为一名出色的汉语专家。
292. 真舍不得你们走。

第四十八课　祝你一路平安

293. 请在我的留言本上写几句话吧。
294. 这是我的电子邮箱地址，你一定要给我写信。
295. "事业有成"是什么意思？
296. 我回国以后，一定会想你的。
297. 我给您打电话，是为了向您告别。
298. 全都收拾好了。
299. 过了暑假我还会回中国来的。
300. 祝你一路平安！
301. 请代我向你的父母问好。

Lesson 45 Early to bed and early to rise makes a man healthy

268. Yǒu shíhou qù cāochǎng pǎopǎo bù, yǒu shíhou zài sùshè yù xí yíxiàr kè wén.

Sometimes I go running on the playground, and sometimes I preview the text in the dormitory.

269. Nǐ yīnggāi gǎibiàn yíxiàr zìjǐ de xíguàn.

You should change your habits a little bit.

270. Shuō qǐlái róngyì, zuò qǐlái jiù nán.

Easier said than done.

271. Zǎo shuì zǎo qǐshēn tǐ hǎo.

Early to bed and early to rise makes a man healthy.

272. Jiù ná wǒ gē gē lái shuō ba, tā yǐjīng xī le wǔliù nián yān le, xiǎng yào jiè diào hěn nán.

Take my brother for instance, he's smoked for five or six years, so that it is hard to quit.

273. Cóng nà yǐhòu wǒ zài méi hē guò.

I haven't drunk it since then.

274. Wúlùn rúhé, wǒmen háishi yīnggāi bǎ yìxiē huài xíguàn gǎi diào.

In any case, we should get rid of some bad habits.

275. Zhōngguó yǒu jù huà jiào "xiào yí xiào, shí nián shào".

There is a Chinese saying:"One laugh can make you ten years younger."

Lesson 44 She seems to have some concerns

260. Wǒ juéde tā hǎoxiàng yǒu shénme xīnshì.

I think she seems to have some concerns.

261. Huítóu wǒ gēn tā tántán.

I'll talk to her later.

262. Qíshí yě méi shénme, jiùshi tīngxiě de chéngjì zǒng shì bù hǎo.

Actually it doesn't matter, just the dictation result is always not good.

263. Lǎoshī niàn de tài kuài, wǒ xiě bu xiàlái.

The teacher speaks too fast that I can't write it down.

264. Guàibude zuìjìn wǒ kàn tā zhěngtiān zài nǔlì de liànxí hànzì.

No wonder I recently saw her practicing writing with great effort all day long.

265. Jīntiān mǎ kè zěnme méi lái?

How come Mark didn't show up today?

266. Bú huì yòu dǔchē le ba?

Is there a traffic jam again?

267. Tā shì bu shì yù dào le shénme fán xīnshì?

He has some concerns, doesn't he?

Lesson 43 It seems to rain

252. Tiān yīn le, kàn yàngzi yào xià yǔ le.

It's getting cloudy and seems to rain.

253. Fēng yě yuè guā yuè dà, kàn qǐlái yǔ huì xià de hěn dà.

The wind is rising, and it seems that it will rain heavily.

254. Lái de kuài qù de yě kuài.

It starts suddenly and stops suddenly.

255. Wǒ yǐhòu yě yīnggāi xiàng nǐ yíyàng, tiān tiān dài zhe yǔsǎn.

I should bring the umbrella everyday like you.

256. Zài yě bú yòng chuān hòu hòu de yīfu le.

You don't have to wear thick clothes any longer.

257. Wèishénme Běijīng huì yǒu shāchénbào ne?

Why is there sand storm in Beijing?

258. Zhè shì chǎnshēng shāchénbào de zhòngyào yuányīn zhī yī.

This is one of the most important reasons why there is sand storm.

259. Yuánlái de Běijīng kě bú shì zhèyàng.

Beijing was not like this in the past.

Lesson 48 Have a nice trip

293. Qǐng zài wǒ de liúyán běn shàng xiě jǐjù huà ba.

Please write something on my guest-book.

294. Zhè shì wǒ de diànzǐ yóujiàn dìzhǐ, nǐ yídìng yào gěi wǒ xiě xìn.

This is my email address. You must write to me.

295. "Shì yè yǒu chéng" shì shénme yìsi?

What do you mean by "shi ye you cheng"?

296. Wǒ huí guó yǐhòu, yídìng huì xiǎng nǐ de.

I'll surely miss you after returning home.

297. Wǒ gěi nín dǎ diànhuà, shì wèile xiàng nín gàobié.

I'm calling to say goodbye.

298. Quán dōu shōushi hǎo le.

All packed up.

299. Guò le shǔjià wǒ hái huì huí Zhōngguó lái de.

I'll be back to China after summer holiday.

300. Zhù nǐ yílù píng'ān !

Have a nice trip!

301. Qǐng dài wǒ xiàng nǐ de fùmǔ wènhǎo.

Give my best regards to your parents.

Lesson 47 You've made a really big progress in Chinese

284. Wǒ zuò zài hòumiàn, nǐ kěnéng kàn bu dào.

You didn't see me because I sat in the back.

285. Nǐ de Hànyǔ jìnbù zhēn dà.

You've made a really great progress in Chinese.

286. Lián Zhōngguórén dōu tīng bu chūlái nǐ shì wàiguó rén.

Even Chinese can't make out that you're a foreigner when they listen to you.

287. Yīnwèi yǒu le nǐ de bāngzhù, suǒyǐ wǒ de Hànyǔ cái jìnbù de zhè me kuài.

Thanks to your help, I've made rapid progress in Chinese.

288. Huí guó yǐhòu hái yào jiānchí xuéxí, qiānwàn bié rēng le.

You have to stick to learning Chinese when you go back to your country. Be sure not to neglect it.

289. Wǒ lái xiàng nín cíxíng, xièxie nín yì nián lái de jiàohuì.

I come to say good-bye to you. Thank you for your teaching during the previous year.

290. Xièxie nín de kuājiǎng.

Thank you for flattering me.

291. Wǒ xiǎng nǐ yǐhòu yídìng huì chéngwéi yìmíng chūsè de Hànyǔ zhuānjiā.

I think you can surely become an excellent expert in the Chinese language in the future.

292. Zhēn shěbude nǐmen zǒu.

I'really hate to see you leave.

Lesson 46 Success belongs to the persevering

276. Wǒmen yīnggāi xiǎngxiang bànfǎ, ràng dàjiā gāoxìng gāoxìng.

We should think of a way that makes everybody happy.

277. Děng kǎo wán shì le, wǒmen bān chūqù wánr yí cì ba.

We'll go out and have fun after the exam.

278. Yì fāngmiàn kěyǐ fàngsōng fàngsōng, lìng yìfāngmiàn hái kěyǐ zēngjìn tóngxué men zhī jiān de liǎojiě.

On the one hand, we can relax a little bit, on the other hand, it can improve the sense of understanding among the classmates.

279. Wǒ zǎo jiù xiǎng chūqù wán le.

I've wanted to go out and have fun for a long time.

280. Zhōngyú kǎo wánr shì le.

The exam is finally finished.

281. Wǒmen zuò xiàlái xiūxi yíhuìr ba.

Let's sit down and have a rest.

282. Wǒmen bù néng là zài biéren hòumiàn.

We can't fall behind the others.

283. Zhǐyào jiānchí, jiù méiyǒu zuò bu dào de shì

As long as you stick to it, there is nothing you can't accomplish.

图书在版编目(CIP)数据

体验汉语基础教程. 下／姜丽萍主编著 . –北京：高等教育出版社，2006.10（2019.7 重印）

ISBN 978-7-04-020519-0

Ⅰ. 体...　Ⅱ. 姜...　Ⅲ. 汉语－对外汉语教学－教材　Ⅳ. H195.4

中国版本图书馆 CIP 数据核字（2006）第 109157 号

出版发行	高等教育出版社	咨询电话	400–810–0598
社　　址	北京市西城区德外大街4号	网　　址	http://www.morefunchinese.com
邮政编码	100120		http://www.hep.com.cn
印　　刷	廊坊十环印刷有限公司	网上订购	http://www.hepmall.com
开　　本	889×1194　1/16		http://www.hepmall.com.cn
印　　张	16.75		http://www.hepmall.cn
字　　数	530 000	版　　次	2006年10月第1版
购书热线	010-58581118	印　　次	2019年7月第14次印刷

ISBN 978-7-04-020519-0

定价：68.00元